LISBON POETS

Camões, Cesário, Sá-Carneiro, Florbela, Pessoa

BILINGUAL EDITION
PT | EN

LISBON POETS

Camões, Cesário, Sá-Carneiro, Florbela, Pessoa

Translation
Martin D'Evelin
Martin Earl

Illustrations
André Carrilho

SHANTARIN

TITLE
Lisbon Poets. Camões, Cesário, Sá-Carneiro, Florbela, Pessoa

AUTHORS
Luís de Camões, Cesário Verde, Mário de Sá-Carneiro, Florbela Espanca, Fernando Pessoa

TRANSLATION
Martin D'Evelin (Sá-Carneiro and Pessoa)
Martin Earl (Camões, Cesário, and Florbela)

TRANSLATION REVISION
Rui Vitorino Azevedo (Sá-Carneiro and Pessoa)
Simon Park (Camões, Cesário, and Florbela)

ILLUSTRATIONS
André Carrilho

GRAPHIC DESIGN
Juliana Miguéis & Teresa Matias

FONTS
Aria Text G1, by Rui Abreu
Sabon, by Jan Tschichold
Usual, by Rui Abreu

EDITORIAL COORDINATION
Margarida Louro

PUBLISHING DIRECTOR
João Pedro Ruivo

SERIES
Litteraria

PUBLISHER
SHANTARIN

shantarin.com
shantarin@shantarin.com

Third edition: July 2022
Lisboa, Portugal
Printed by Jorge Fernandes
ISBN 978-989-53628-5-1 | Dep. Legal 502107/22

First published by Lisbon Poets & Co. in June 2015
(twelve printings)
Second edition: January 2022

CONTENTS

Contributors to this edition

André Carrilho is a designer, illustrator, cartoonist, animator and caricature artist, born in Lisbon, Portugal. He has won several national and international prizes and has shown his work in group and solo exhibitions in Brazil, China, the Czech Republic, France, Portugal, Spain and the USA. In 2002 he was awarded the Gold Award for Illustrator's Portfolio by the Society for News Design (USA), one of the most prestigious illustration awards in the world. His work has been published by *The New York Times, The New Yorker, Vanity Fair, New York Magazine, Standpoint, Independent on Sunday, NZZ am Sonntag, Word Magazine, Harper's Magazine* and *Diário de Notícias*, among other publications. www.andrecarrilho.com

Martin D'Evelin arrived in Portugal in 1995 and spent a great deal of his professional life working there, principally for the British Council in Lisbon. He has also lived and taught in Spain, England, the Czech Republic, and Belgium. But it was whilst in Lisbon that he attained his Licentiate in teaching adults as a second language. As a young man he had a great interest in poetry and literature in general and this in turn led to the publication of some of his own works in his early twenties. Apart from language books, in all their forms, he is passionate about horse racing and politics. Language and politics intertwined in the research he conducted to conclude a Master's programme in Diplomacy and International Relations at Lancaster University.

Martin Earl is a poet and translator who lives in Coimbra. His translations include Fernando Pessoa's *Message* (2020). His poetry has appeared most recently in *Nervo/10 - Colectivo de Poesia*, translated by Margarida Vale de Gato.

Publisher's note
3rd edition

Since 2015, *Lisbon Poets. Camões, Cesário, Sá-Carneiro, Florbela, Pessoa* has played a significant role in the dissemination of Portuguese poetry among English language readers. After 11 print runs and more than 37,000 copies sold (a remarkable figure for a book of verse), Shantarin congratulates Martin D'Evelin and André Carrilho on the seven years of their contributions to this anthology of five great classics, and welcomes poet and literary translator Martin Earl, who now joins the list of contributors.

Luís de Camões

c. 1524 – Lisbon, 10 June 1580

Luís de Camões was born in Lisbon, as best we can surmise, and is, by popular and critical consensus, considered to be Portugal's national poet, an inculcation that evolved hand in hand, well after the poet's death, with the evolution of the modern Portuguese nation state as a colonizing, and slave-trading country, and one that created an enduring empire stretching far beyond its tiny footprint on the southwestern tip of the European landmass. His poetry has always been a source of pride for the Portuguese people and an instrument of propaganda for their successive governments. Nevertheless, the poet's accruing international importance, a process that continues to this day, and now sees him equal in stature to Renaissance peers like Shakespeare and Dante, has less to do with his status as Portugal's poetic standard bearer, as it does with the miracle of his verse, whether epic or lyrical, and how Camões drew on his rich and erudite knowledge of classical sources and expressed his version of national history through supple use of the latest Italian Renaissance verse forms in Portuguese. It might be said that Camões provided the goods, namely in the form of his remarkable epic, *The Lusiads*, and the state (kings, queens, republicans, and dictators) did the rest. When the poet at last returned from the East (Africa, India, Macao, and Southeastern Asia) after nearly twenty years away, and after having almost lost his life, as well as the manuscript of *The Lusiads* in a shipwreck in the Mekong River Delta, he published his epic in Lisbon in 1572 to great acclaim and at the favor of his king Sebastian, who was still a teenager at the time. Teenagers—the age of the young King Sebastian—still read Camões today as part of the national curriculum. The poem traces, as the poet himself did in twenty years of restless wandering, the voyage and exploits of Vasco de Gama, and it does so in *ottava rima*. It is one of the world's longest poems in that form amounting to 1,102 stanzas. Most of the selection below is taken from the remarkable lyrical poems, the sonnets in particular. These were first published in 1595, fifteen years after the death of Camões, who spent his last days in obscurity and poverty with the company of a single slave, Jau, whom he'd brought back with him from the Orient.

M.E.

* Martin Earl writes in American English.

Amor é um fogo qu'arde sem se ver,
É ferida que dói e não se sente,
É um contentamento descontente,
É dor que desatina sem doer.

É um não querer mais que bem querer,
É um andar solitário entre a gente,
É nunca contentar-se de contente,
É um cuidar que ganha em se perder.

É querer estar preso por vontade,
É servir a quem vence o vencedor,
É ter com quem nos mata lealdade.

Mas como causar pode seu favor
Nos corações humanos amizade,
Se tão contrário a si é o mesmo Amor?

Love is fire that burns invisible,
It's a wound that hurts without torment,
It's a discontent contentment,
It's pain that drives one mad and isn't painful.

It's wanting nothing else but to want,
It's to be alone when everyone's together,
It's never being pleased with pleasure,
It's supposing you win something by losing it.

It's wanting to be imprisoned willingly;
Serve the vanquished with winner's respect;
Or to our killer, feel loyalty.

But how can love's favor effect
In human hearts such tender comity,
If love must itself contradict?

Aquela triste e leda madrugada,
Cheia toda de mágoa e de piedade,
Enquanto houver no mundo saudade
Quero que seja sempre celebrada.

Ela só, quando amena e marchetada
Saía, dando ao mundo claridade,
Viu apartar-se duma outra vontade,
Que nunca poderá ver-se apartada.

Ela só viu as lágrimas em fio,
Que, duns e doutros olhos derivadas,
S'acrescentaram em grande e largo rio.

Ela viu as palavras magoadas
Que puderam tornar o fogo frio
E dar descanso às almas condenadas.

THIS SAD AND HAPPY DAWN,
So full of hurt and pity,
In a world of unrequited memory
Let it be forever renown.

Only she, mild, variegated,
Rose to lend the world her light,
Saw one from another desire alight,
That should never have parted.

Only she saw tears quiver,
That from one or the other came,
Grow to the size of a river.

She saw the hurtful names,
That could make a fire shiver
And give relief to souls in shame.

Alma minha gentil, que te partiste
Tão cedo desta vida descontente,
Repousa lá no Céu eternamente,
E viva eu cá na terra sempre triste.

Se lá no assento etéreo, onde subiste,
Memória desta vida se consente,
Não te esqueças daquele amor ardente
Que já nos olhos meus tão puro viste.

E se vires que pode merecer-te
Alguma cousa a dor que me ficou
Da mágoa sem remédio de perder-te,

Roga a Deus, que teus anos encurtou,
Que tão cedo de cá me leve a ver-te
Quão cedo de meus olhos te levou.

MY KIND SOUL, SINCE YOU PARTED
Too early this life of discontent,
Rest where you are—it's permanent.
And I'll stay here, utterly dejected.

In your ether chair, where you landed,
If memory of this life consent,
Don't forget that the love so ardent
You saw in my eyes—is pure and candid.

And if you see something useful
In this pain that's left me,
Head-to-toe hurt from losing you,

Beg God, who so early set you free,
To just as soon take me to you
As he took you from me.

Erros meus, má fortuna, amor ardente,
Em minha perdição se conjuraram;
Os erros e a fortuna sobejaram,
Que para mim bastava o amor somente.

Tudo passei, mas tenho tão presente
A grande dor das cousas que passaram,
Que as magoadas iras me ensinaram
A não querer já nunca ser contente.

Errei todo o discurso de meus anos,
Dei causa que a Fortuna castigasse
As minhas mal fundadas esperanças.

D'amor não vi senão breves enganos.
Oh, quem tanto pudesse, que fartasse
Este meu duro génio de vinganças!

Errors, wicked Fate, ardent love,
All conspired in my perdition;
The errors and Fate hardly need mention,
It'd be enough had it just been love.

That's all done, but what's still so present
Is the enormous pain of what happened,
May the hurtful anger that enlightened
Make me no longer want to be content.

Always I've erred, over all these years,
I gave Fate every reason to punish me
For my ill-founded expectations.

I've known only brief loves that end in tears.
But where is the will to stymie
This my spiteful genius for retribution!

Mudam-se os tempos, mudam-se as vontades,
Muda-se o ser, muda-se a confiança;
Todo o mundo é composto de mudança,
Tomando sempre novas qualidades.

Continuamente vemos novidades,
Diferentes em tudo da esperança;
Do mal ficam as mágoas na lembrança,
E do bem (se algum houve) as saudades.

O tempo cobre o chão de verde manto,
Que já coberto foi de neve fria,
E em mim converte em choro o doce canto.

E afora este mudar-se cada dia,
Outra mudança faz de mor espanto,
Que não se muda já como soía.

Times change, and with them wishes too,
Our beings change, our beliefs mutable;
Made of change, our world is unstable,
Taking on qualities forever new.

We're always seeing something novel,
Completely different than what we want;
From bad comes hurt. It stays to haunt.
From good (if there was any), the wistful.

Time covers the ground in a mantle of green,
So recently covered in cold snow,
And turns sweet song to tears unseen.

Beyond all the daily to and fro,
Another change is even more unforeseen,
That nothing changes as it did two days ago.

A partida para a Índia

Canto IV, Estrofes 84 e 85

E já no porto da ínclita Ulisseia,
Cum alvoroço nobre e cum desejo
(Onde o licor mistura e branca areia
Co salgado Neptuno o doce Tejo)
As naus prestes estão; e não refreia
Temor nenhum o juvenil despejo,
Porque a gente marítima e a de Marte
Estão para seguir-me a toda a parte.

Pelas praias vestidos os soldados
De várias cores vêm e várias artes,
E não menos de esforço aparelhados
Para buscar do mundo novas partes.
Nas fortes naus os vèntos sossegados
Ondeiam os aéreos estandartes;
Elas prometem, vendo os mares largos,
De ser no Olimpo estrelas, como a de Argos.

The Leaving Lisbon for India

Canto IV, Stanzas 84 and 86

All is ready in Ulysses' harbor
With a noble clamor of desire
(Where Neptune's brinish liquor
Mixes with the Tagus's fresh water)
The ships at luff; and not a fear
Impedes my youthful career,
Because sailor and soldier
Are ready to guide me everywhere.

The soldiers in all their finery gather
On the beach, each color its own art,
Each with force fitted to further
Search the world—its unknown part.
Across the sturdy bows the zephyr
Ripples the upraised standard;
Pointed at the wide seas, their promise,
Like Argos's, to join stars above Olympus.

O regresso

Canto IX, Estrofes 16 e 17

Apartadas assim da ardente costa
As venturosas naus, levando a proa
Para onde a Natureza tinha posta
A meta Austrina da Esperança Boa,
Levando alegres novas e resposta
Da parte Oriental para Lisboa,
Outra vez cometendo os duros medos
Do mar incerto, tímidos e ledos.

O prazer de chegar à pátria cara,
A seus penates caros e parentes,
Para contar a peregrina e rara
Navegação, os vários céus e gentes;
Vir a lograr o prémio que ganhara,
Por tão longos trabalhos e acidentes:
Cada um tem por gosto tão perfeito,
Que o coração para ele é vaso estreito.

The Return

Canto IX, Stanzas 16 and 17

So parting from the sun-burnt coast
The fortunate ships, their bows bent
To where Nature had put its furthermost
Limit, Good Hope. There they went
Bringing good news and the boast
From the East, all the way to Lisbon sent,
Once again committing to the hard fear
Of fitful seas, timorous but in good cheer.

The delight of returning to their native
Land and dear families, and to tell
Of their peregrination and to give
Account of their unprecedented spell
Under different skies and peoples, relive
It all, to be rewarded for all that befell
Each one, their pleasure now so perfect
That their hearts could hardly contain it.

A chegada a Lisboa

Canto X, Estrofe 144

Assim foram cortando o mar sereno,
Com vento sempre manso e nunca irado,
Até que houveram vista do terreno
Em que nasceram, sempre desejado.
Entraram pela foz do Tejo ameno,
E à sua pátria e Rei temido e amado
O prémio e glória dão, porque mandou,
E com títulos novos se ilustrou.

Arrival in Lisbon

Canto X, Stanza 144

And so they cut through the serene sea,
In a mild wind, never bad-tempered,
Until land could be seen to their lee,
Land of their birth, forever desired.
Up the Tagus, the mild estuary,
Homeland and King, loved and feared,
Their prize and glory to honor his name,
And with new titles increase his fame.

Cesário Verde

Lisbon, 25 February 1855 – Lisbon, 19 July 1886

Cesário Verde was born in Lisbon, and died there thirty-one years later, dispatched by the same disease that had killed his brother and his sister. The death of his sister in 1872 is said to have influenced him greatly. She is no doubt behind some of the female figures who show up in his poems, sickly and unfortunate creatures worthy of Charles Dickens. Maria Júlia's precocious demise almost certainly fostered her brother's skeptical outlook and steered him away from the idealizing and Romantic approach that still marked 19th century Portuguese poetry. Like Fernando Pessoa, who a generation later would be the first poet to recognize Cesário's work for its groundbreaking originality and genius, Cesário Verde was hardly known in his lifetime. He published some forty odd pieces in Lisbon newspapers, but never published a collection while alive. *The Book of Cesário Verde* came out posthumously, a private edition edited and published by his friend Silva Pinto in 1887. It was only in 1901 that the book was made available to a wider public. Unlike Pessoa, Verde's obscurity was not a cultivated affair. In one of his poems *Obstacles*, he complains, almost boyishly, about a lack of recognition and being neglected by editors. The poem draws a parallel between the narrator's life and that of a tubercular laundress whom he watches from his writing desk starching shirts in her miserable apartment across the street. One of this poem's sources of chagrin—something that every poet will understand—follows a local editor's rejection slip: "What's the worth of writing? / Yet another rag, one that praises everything, / Has shut the door on me alone." Instead of leading the literary life available to young writers of ambition, Verde, like some proto-typical Wallace Stevens, worked in his father's hardware store in Lisbon's bustling downtown, and wrote his "novel and error free Alexandrines," as he called them in *Obstacles*, after work and on his summer holidays at the family farm in the city's outskirts. Though he knew some of the writers of his day, he was probably one of the more isolated poets of the 19th century, Portuguese or otherwise. It is hard to reckon this background with his astoundingly unprecedented and revolutionary verse.

M.E.

Impossível!

Nós podemos viver alegremente,
Sem que venham, com fórmulas legais,
Unir as nossas mãos, eternamente,
As mãos sacerdotais.

Eu posso ver os ombros teus desnudos,
Palpá-los, contemplar-lhes a brancura,
E até beijar teus olhos tão ramudos,
Cor de azeitona escura.

Eu posso, se quiser, cheio de manha,
Sondar, quando vestida, pra dar fé,
A tua camisinha de *bretanha*,
Ornada de *crochet*.

Posso sentir-te em fogo, escandecida,
De faces cor-de-rosa e vermelhão,
Junto a mim, com langor, entredormida,
Nas noites de Verão.

Eu posso, com valor que nada teme,
Contigo preparar lautos festins,
E ajudar-te a fazer o *leite-creme*,
E os mélicos pudins.

Impossible

We're able to live happily,
If they don't clobber us with banns,
And join our hands eternally,
With their priestly hands.

I can see your uncovered shoulder,
Touch it, contemplate its whiteness,
And even your eyes, the color
Of dark olives, I could kiss.

I can, if I want, cunningly, look in a way—
Once you're dressed—just to see,
Your chemisette from Brittany,
Decorated with crochet.

I can feel you enflamed, on fire,
Next to me, your cheeks turning
pink to red, half-asleep, full of languor.
On a summer evening.

I can, with valor unflustered,
Help you put on sumptuous parties,
Stir the honeyed pudding with ease,
Help you make the custard.

Eu tudo posso dar-te, tudo, tudo,
Dar-te a vida, o calor, dar-te *cognac*,
Hinos de amor, vestidos de veludo,
E botas de duraque.

E até posso com ar de rei, que o sou!
Dar-te cautelas brancas, minha rola,
Da grande lotaria que passou,
Da boa, da espanhola.

Já vês, pois, que podemos viver juntos,
Nos mesmos aposentos confortáveis,
Comer dos mesmos bolos e presuntos,
E rir dos miseráveis.

Nós podemos, nós dois, por nossa sina,
Quando o sol é mais rúbido e escarlate,
Beber na mesma chávena da China,
O nosso chocolate.

E podemos até, noites amadas!
Dormir juntos dum modo galhofeiro,
Com as nossas cabeças repousadas
No mesmo travesseiro.

Posso ser teu amigo até à morte,
Sumamente amigo! Mas por lei,
Ligar a minha sorte à tua sorte,
Eu nunca poderei!

I can give you everything, the whole lot,
Give my life, my warmth, give you *cognac*,
Hymns of love, gowns of velvet,
        Boots of cotton duck.

With my air of a king—not all bombast—
I'll give you tickets, my turtle dove,
from the big lottery that just passed,
        The Spanish one, my love.

You see we can live as we please,
In rooms that are comfortable,
Eat the same ham and pastries,
        And laugh at the miserable.

Both of us, blessed by fate, we can,
When the sun turns ruby and scarlet,
Drink from the same porcelain,
        The same hot chocolate.

And, on fleshier nights, we can even,
in a playful way, sleep together
With our two heads reposed upon
        The very same bolster.

I can be, until death do us part, your friend,
Prodigiously so! But by any mandate,
To link my end to your end,
        I will never contemplate.

Eu posso amar-te como o Dante amou,
Seguir-te sempre como a luz ao raio,
Mas ir, contigo, à igreja, isso não vou,
Lá nessa é que eu não caio!

I can love you as Dante loved Beatrice,
Follow you always as light follows its ray,
But walk over the churchly precipice
with you, no way!

Vaidosa

Dizem que tu és pura como um lírio
E mais fria e insensível que o granito,
E que eu que passo aí por favorito
Vivo louco de dor e de martírio.

Contam que tens um modo altivo e sério,
Que és muito desdenhosa e presumida,
E que o maior prazer da tua vida
Seria acompanhar-me ao cemitério.

Chamam-te a bela imperatriz das fátuas,
A déspota, a fatal, o figurino,
E afirmam que és um molde alabastrino,
E não tens coração, como as estátuas.

E narram o cruel martirológio
Dos que são teus, ó corpo sem defeito,
E julgam que é monótono o teu peito
Como o bater cadente dum relógio.

Porém eu sei que tu, que como um ópio
Me matas, me desvairas e adormeces,
És tão loura e dourada como as messes
E possuis muito amor... muito *amor-próprio*.

Vanity

They say that you are as pure as a lily
And colder and more unfeeling than granite,
And that even though I seem to be a favorite
This pain and martyrdom is bound to kill me.

They talk about how arrogant and serious you are,
That you're disdainful and completely cocksure
And that what would give you the greatest pleasure
Would be to usher me straight to the graveyard.

They call you the beautiful empress of fools,
The despot, femme fatale, a fashion plate,
They're convinced you're an alabaster template,
And that you're heartless, like all those statues.

Your cruel martyrology is all the talk—
Of you lovers fallen, and that body so flawless,
They suppose that your heart is as monotonous
As the cadenced ticking of a clock.

Even though I know that you, likc an opium dream,
Are killing me, you make me ecstatic then make me sleep
You're so blond, so golden, like a field of wheat.
You're full of untold love... of untold self-esteem.

Contrariedades

Eu hoje estou cruel, frenético, exigente;
Nem posso tolerar os livros mais bizarros.
Incrível! Já fumei três maços de cigarros
Consecutivamente.

Dói-me a cabeça. Abafo uns desesperos mudos:
Tanta depravação nos usos, nos costumes!
Amo, insensatamente, os ácidos, os gumes
E os ângulos agudos.

Sentei-me à secretária. Ali defronte mora
Uma infeliz, sem peito, os dois pulmões doentes;
Sofre de faltas de ar, morreram-lhe os parentes
E engoma para fora.

Pobre esqueleto branco entre as nevadas roupas!
Tão lívida! O doutor deixou-a. Mortifica.
Lidando sempre! E deve a conta na botica!
Mal ganha para sopas...

O obstáculo estimula, torna-nos perversos;
Agora sinto-me eu cheio de raivas frias,
Por causa dum jornal me rejeitar, há dias,
Um folhetim de versos.

Obstacles

Today I am cruel, frenetic, importunate;
I can't even put up with the most beautiful books.
Incredible! I've already chain-smoked three packs
        Of cigarettes.

I quash these horrible thoughts. I have a headache.
Today's styles and customs are utterly depraved.
I love acute angles foolishly, I have craved
        sharpness and the acidic.

I sit down at my desk. I can see from my perch
The sad flat-chested woman whose lungs are unsound;
She can't breathe; her whole family is under the ground,
        She takes in shirts to starch.

Poor bag of bones lost in a snowfall of shirt cloth!
Pallid. The doctor's desisted. She's wasting away.
Always working. Bills in arrears at the pharmacy.
        Hardly earns enough for soup broth...

Obstacles stimulate, they make us so perverse;
Right now I'm filled with a sense of frigid anger,
Only because some days ago a newspaper
        Rejected a sheaf of my verse.

Que mau humor! Rasguei uma epopeia morta
No fundo da gaveta. O que produz o estudo?
Mais duma redacção, das que elogiam tudo,
Me tem fechado a porta.

A crítica segundo o método de Taine
Ignoram-na. Juntei numa fogueira imensa
Muitíssimos papéis inéditos. A imprensa
Vale um desdém solene.

Com raras excepções merece-me o epigrama.
Deu meia-noite; e em paz pela calçada abaixo,
Um sol-e-dó. Chovisca. O populacho
Diverte-se na lama.

Eu nunca dediquei poemas às fortunas,
Mas sim, por deferência, a amigos ou a artistas.
Independente! Só por isso os jornalistas
Me negam as colunas.

Receiam que o assinante ingénuo os abandone,
Se forem publicar tais coisas, tais autores.
Arte? Não lhes convém, visto que os seus leitores
Deliram por Zaccone.

Um prosador qualquer desfruta fama honrosa,
Obtém dinheiro, arranja a sua *coterie*;
E a mim, não há questão que mais me contrarie
Do que escrever em prosa.

What a bad mood! I ripped up an epic poem
I found dead in a drawer. What's the worth of writing?
Yet another rag, one that praises everything,
        Has shut the door on me alone.

The world ignores Taine's method of criticism.
So, I gathered everything and made a huge fire,
A lot of unpublished works. It's my ire
        With the press. It's got to be solemn.

I should stick to the epigram and avoid the tumid.
Midnight was upon us; down the sidewalk, at their ease,
A troupe of songsters wandered. Drizzle. The plebes
        Played in the mud.

To the monied, I've never dedicated my poems.
Only, with deference, to friends and creators.
Call it independence! That's why editors
        Reject with my columns.

They're afraid of losing their naïve subscribers
If they publish such things, such authors.
Art? Hardly to their advantage, since their readers
        Adore *Les Compagnons noirs*.

Any prosaist can get fame and all it bestows
Upon us, make money, attract a contingent,
But for me, there's nothing more unpleasant
        Than writing prose.

A adulação repugna aos sentimentos finos;
Eu raramente falo aos nossos literatos,
E apuro-me em lançar originais e exactos,
        Os meus alexandrinos...

E a tísica? Fechada, e com o ferro aceso!
Ignora que a asfixia a combustão das brasas,
Não foge do estendal que lhe humedece as casas,
        E fina-se ao desprezo!

Mantém-se a chá e pão! Antes entrar na cova.
Esvai-se; e todavia, à tarde, fracamente,
Oiço-a cantarolar uma canção plangente
        Duma opereta nova!

Perfeitamente. Vou findar sem azedume.
Quem sabe se depois, eu rico e noutros climas,
Conseguirei reler essas antigas rimas,
        Impressas em volume?

Nas letras eu conheço um campo de manobras;
Emprega-se a *réclame*, a intriga, o anúncio, a *blague*,
E esta poesia pede um editor que pague
        Todas as minhas obras...

E estou melhor; passou-me a cólera. E a vizinha?
A pobre engomadeira ir-se-á deitar sem ceia?
Vejo-lhe luz no quarto. Inda trabalha. É feia...
        Que mundo! Coitadinha!

Praise insults the finer sentiments, contravenes
Their dignity. I don't talk to our literati,
I limit myself to novel and error-free
        Alexandrines...

And our consumptive? Bent over her scorched iron,
Choking herself, unawares, on the burning embers,
She can't flee the clothesline that humects her chambers.
        And she'll end in scorn!

On a diet of tea and bread, her sepulcher
Would serve her better. Yet, afternoons, I hear her,
Wasting away, but still singing in a whisper
        A tune from the latest operetta.

Very well. I'll finish things up devoid of venom.
Who knows if someday, rich and living in other climes,
I'll have the luck to reread all these old rhymes
        Published in a volume.

What I see of literature is a battlefield;
mentions in magazines, intrigue, ads, pure nonsense,
I need a publisher that provides remittance
        for all of my poetic yield...

I'm better now; my anger's passed. And the neighbor?
The poor laundress, will she go to bed without her tea?
I see her in her room. She's still working. She's ugly...
        What a world! Poor dear!

Num bairro moderno

A Manuel Ribeiro

Dez horas da manhã; os transparentes
Matizam uma casa apalaçada;
Pelos jardins estancam-se as nascentes,
E fere a vista, com brancuras quentes,
A larga rua macadamizada.

Rez-de-chaussée repousam sossegados,
Abriram-se, nalguns, as persianas,
E dum ou doutro, em quartos estucados,
Ou entre a rama dos papéis pintados,
Reluzem, num almoço, as porcelanas.

Como é saudável ter o seu conchego,
E a sua vida fácil! Eu descia,
Sem muita pressa, para o meu emprego,
Aonde agora quase sempre chego
Com as tonturas duma apoplexia.

E rota, pequenina, azafamada,
Notei de costas uma rapariga,
Que no xadrez marmóreo duma escada,
Como um retalho da horta aglomerada,
Pousara, ajoelhando, a sua giga.

In a Modern Neighborhood

For Manuel Ribeiro

Ten o'clock in the morning; thin curtains
Shade the palatial retreat;
The fountains run dry in the gardens,
And eyes are wounded with heat that whitens
Everything on the wide paved street.

Rez-de-chaussée rest in quietude,
On some the shutters are swung open
And in some of the rooms, stuccoed,
Or midst branches of a papered abode,
A table set with china will glisten.

How healthy to have one's own apartment,
And an easy life! I was, unhurriedly,
Going to my place of employment,
Where these days I arrive with recurrent
Dizzy spells in a state of apoplexy.

From behind I noticed a girl on her way,
Hurrying, tattered and miniature,
Going up a checkered marble stairway
With her basket; she knelt there to lay
What seemed a whole garden plot beside her.

E eu, apesar do sol, examinei-a:
Pôs-se de pé; ressoam-lhe os tamancos;
E abre-se-lhe o algodão azul da meia,
Se ela se curva, esguedelhada, feia,
E pendurando os seus bracinhos brancos.

Do patamar responde-lhe um criado:
«Se te convém, despacha; não converses.
Eu não dou mais.» E muito descansado,
Atira um cobre lívido, oxidado,
Que vem bater nas faces duns alperces.

Subitamente — que visão de artista! —
Se eu transformasse os simples vegetais,
À luz do sol, o intenso colorista,
Num ser humano que se mova e exista
Cheio de belas proporções carnais?!

Bóiam aromas, fumos de cozinha;
Com o cabaz às costas, e vergando,
Sobem padeiros, claros de farinha;
E às portas, uma ou outra campainha
Toca, frenética, de vez em quando.

E eu recompunha, por anatomia,
Um novo corpo orgânico, ao bocados.
Achava os tons e as formas. Descobria
Uma cabeça numa melancia,
E nuns repolhos seios injectados.

And, in spite of the sun, I couldn't stop staring:
She gets up; her clogs clattering;
Exposing the blue cotton of her stocking,
And when she bends over, disheveled, plain-looking,
Little white arms hang pendant and flopping.

From the landing above a manservant taunts:
"If it suits you, hurry up; shut your slot.
That's all you'll get." And, nonchalant,
He tosses a coin, tarnished and gaunt,
That bounces off an apricot.

Suddenly—what an artist's vision!—
What if I transformed those ordinary vegetables,
With the light of that intense colorist, the sun,
Into a human being, living, always in motion,
with beautifully-proportioned muscles?!

Scents waft, there's smoke from a kitchen fire;
Under shouldered hampers, bakers climb
slumping up the stairs, white with flour;
Doorbells ring at this or that door,
Frenetically, but not all the time.

I recompose, anatomically,
A new organic body, by rule of thumb.
I pick out colors, find forms. Then I see
A head—in a watermelon—watching me,
In some cabbages I descry a flushed bosom.

As azeitonas, que nos dão o azeite,
Negras e unidas, entre verdes folhos,
São tranças dum cabelo que se ajeite;
E os nabos — ossos nus, da cor do leite,
E os cachos de uvas — os rosários de olhos.

Há colos, ombros, bocas, um semblante
Nas posições de certos frutos. E entre
As hortaliças, túmido, fragrante,
Como dalguém que tudo aquilo jante,
Surge um melão, que lembrou um ventre.

E, como um feto, enfim, que se dilate,
Vi nos legumes carnes tentadoras,
Sangue na ginja vívida, escarlate,
Bons corações pulsando no tomate
E dedos hirtos, rubros, nas cenouras.

O sol dourava o céu. E a regateira,
Como vendera a sua fresca alface
E dera o ramo de hortelã que cheira,
Voltando-se, gritou-me, prazenteira:
«Não passa mais ninguém!... Se me ajudasse?!...»

Eu acerquei-me dela, sem desprezo;
E, pelas duas asas a quebrar,
Nós levantámos todo aquele peso
Que ao chão de pedra resistia preso,
Com um enorme esforço muscular.

The olives, which give us olive oil,
Black and bundled between green flounces:
Are braids of hair drawn up in a coil,
Turnips—bones the color milk on the boil,
And bunches of grapes—the eye's irises.

Necks, shoulders, mouths, a countenance,
Turn up in fruits, each in their own position.
The tumid greens give off a fragrance,
And—looking like the belly of a dunce
Who dines on it all—a ripened melon.

And then, like a fetus dilating,
I saw in the vegetables meats that tempted,
In the scarlet cherries, blood was flowing,
In the tomatoes, excellent hearts beating,
and in the carrots, fingers red and rigid.

The sun gilded the sky. The peddler,
Having sold all her fresh lettuce,
The sprig of mint that scented the air
Given away, turned to me with joyful clamor:
"No one else is coming!... Can you help us?!..."

I went up to her, my disdain gone by now.
The handles nearly broke in our hands.
We hoisted the whole of that weight somehow—
As it seemed to stick to the marble stairwell—
With all the force in our muscular glands.

«Muito obrigada! Deus lhe dê saúde!»
E recebi, naquela despedida,
As forças, a alegria, a plenitude,
Que brotam dum excesso de virtude
Ou duma digestão desconhecida.

E enquanto sigo para o lado oposto,
E ao longe rodam umas carruagens,
A pobre afasta-se, ao calor de Agosto,
Descolorida nas maçãs do rosto,
E sem quadris na saia de ramagens.

Um pequerrucho rega a trepadeira
Duma janela azul; e, com o ralo
Do regador, parece que joeira
Ou que borrifa estrelas; e a poeira
Que eleva nuvens alvas a incensá-lo.

Chegam do gigo emanações sadias,
Ouço um canário — que infantil chilrada!
Lidam *ménages* entre as gelosias,
E o sol estende, pelas frontarias,
Seus raios de laranja destilada.

E pitoresca e audaz, na sua chita,
O peito erguido, os pulsos nas ilhargas,
Duma desgraça alegre que me incita,
Ela apregoa, magra, enfezadita,
As suas couves repolhudas, largas.

"God bless!" "Accept my endless gratitude!"
I experienced, from that salutation,
The strength, the joy, and the plenitude
That spring from a surfeit of rectitude,
Or from some unknow form of digestion.

And as I moved off to the other side,
Carriages yonder rolled past in concert,
The poor thing took her leave through the tide
Of August heat, her cheekbones were pied,
And she was hipless beneath her floral-patterned skirt.

A little whippersnapper waters the creeper
From a blue window; and with the sprinkler
Of the watering can, he seems a winnower,
Or a sprinkler of stars, and the fine powder
That rises up in white clouds anoints the youngster.

From the basket comes a salubrious wafting,
I hear a canary—what artless trills!
Households behind the lattices are stirring,
Flowing up the façades the sun is rising
Distilling orange rays along the windowsills.

She's picturesque and audacious in her apron,
Her breasts insisting, her hands on her hips,
A happy disaster that piques my emotion.
Slender and rickety, she hawks her buxom
Cabbages, as though she had no hardships.

E como as grossas pernas dum gigante,
Sem tronco, mas atléticas, inteiras,
Carregam sobre a pobre caminhante,
Sobre a verdura rústica, abundante,
Duas frugais abóboras carneiras.

And like the thick legs of a giant,
Athletic and whole, however trunkless,
Carried atop the head of the poor itinerant,
On their bed of greens—rustic and abundant—
Two sober and meaty pumpkin squashes.

O sentimento dum ocidental

A Guerra Junqueiro

I
Ave-Marias

Nas nossas ruas, ao anoitecer,
Há tal soturnidade, há tal melancolia,
Que as sombras, o bulício, o Tejo, a maresia
Despertam-me um desejo absurdo de sofrer.

O céu parece baixo e de neblina,
O gás extravasado enjoa-me, perturba;
E os edifícios, com as chaminés, e a turba
Toldam-se duma cor monótona e londrina.

Batem os carros de aluguer, ao fundo,
Levando à via férrea os que se vão. Felizes!
Ocorrem-me em revista exposições, países:
Madrid, Paris, Berlim, São Petersburgo, o mundo!

Semelham-se a gaiolas, com viveiros,
As edificações somente emadeiradas:
Como morcegos, ao cair das badaladas,
Saltam de viga em viga os mestres carpinteiros.

The Feeling of a Westerner

For Guerra Junqueiro

I
Hail Marys

In our streets, when night falls
There is such a slough of despond and such sadness,
That the shadows, the clamor, the brine, the Tagus,
Wakes some daft desire and the need to suffer calls.

The sky looks lower than it is with so much fog,
The leaking gaslights make me nauseous, tweak my nerves;
And the buildings with their chimneys, and the crowd swerves
Down the street in a mumbling Londonish smog.

Hired carriages bump about before my eye,
Taking happy travelers to the station!
Exhibitions and their countries, Paris and Berlin,
Saint Petersburg, Madrid, the whole world passes by.

Like cages full of living animals,
New buildings rise up still in their wooden rafters:
Like swooping bats that fall to the tolling clappers,
Master carpenters, from beam to beam leap to the bells.

Voltam os calafates, aos magotes,
De jaquetão ao ombro, enfarruscados, secos;
Embrenho-me a cismar, por boqueirões, por becos,
Ou erro pelos cais a que se atracam botes.

E evoco, então, as crónicas navais:
Mouros, baixéis, heróis, tudo ressuscitado!
Luta Camões no Sul, salvando um livro a nado!
Singram soberbas naus que eu não verei jamais!

E o fim da tarde inspira-me; e incomoda!
De um couraçado inglês vogam os escaleres;
E em terra num tinir de louças e talheres
Flamejam, ao jantar, alguns hotéis da moda.

Num trem de praça arengam dois dentistas;
Um trôpego arlequim braceja numas andas;
Os querubins do lar flutuam nas varandas;
Às portas, em cabelo, enfadam-se os lojistas!

Vazam-se os arsenais e as oficinas;
Reluz, viscoso, o rio, apressam-se as obreiras;
E num cardume negro, hercúleas, galhofeiras,
Correndo com firmeza, assomam as varinas.

Vêm sacudindo as ancas opulentas!
Seus troncos varonis recordam-me pilastras;
E algumas, à cabeça, embalam nas canastras
Os filhos que depois naufragam nas tormentas.

Groups of caulkers are returning,
Jackets over shoulders, faces black with pine tar;
Lost in thought I wander down alleys to the river
Stroll about the quays where docked rowboats are rocking.

All the maritime chronicles occur to me:
Moors, ships with their low deadworks, heroes, all brought back!
Camões fought in the south, he swam to save his book!
Superb ships set sail, ones that I will never see.

Late afternoon inspires me; and upsets me!
From an English battleship, launches slip into the sea;
Back on land the tinkle of plates and cutlery
Glittering in a fashionable eatery.

Two dentists argue over something in the trolley;
A tottering harlequin struggles with his stilts;
Household angels flit above a balcony that tilts;
Hatless in doorways, shopkeepers bored and weary.

The shipyards and workshops are letting out;
The river gleams, viscous, the female hands hurry;
Happy fishmongers, Herculean, in a flurry,
a black school of fish, they run with purpose and shout.

They move with rocking opulent hips!
Their manly trunks remind me of Roman pilasters;
In baskets on their heads, their sons—in disasters
At sea in tempests, they'll go down in sunken ships.

Descalças! Nas descargas de carvão,
Desde manhã à noite, a bordo das fragatas;
E apinham-se num bairro aonde miam gatas,
E o peixe podre gera os focos de infecção!

II
Noite fechada

Toca-se as grades, nas cadeias. Som
Que mortifica e deixa umas loucuras mansas!
O Aljube, em que hoje estão velhinhas e crianças,
Bem raramente encerra uma mulher de «dom»!

E eu desconfio, até, de um aneurisma
Tão mórbido me sinto, ao acender das luzes;
À vista das prisões, da velha Sé, das cruzes,
Chora-me o coração que se enche e que se abisma.

A espaços, iluminam-se os andares,
E as tascas, os cafés, as tendas, os estancos
Alastram em lençol os seus reflexos brancos;
E a lua lembra o circo e os jogos malabares.

Duas igrejas, num saudoso largo,
Lançam a nódoa negra e fúnebre do clero:
Nelas esfumo um ermo inquisidor severo,
Assim que pela História eu me aventuro e alargo.

Barefoot! Shoveling coal from morning to night,
Aboard river barges anchored prow to prow;
They live in overcrowded slums where cats meow,
And foul fish spread pockets of infection and blight!

II
As Darkness Falls

A rattling of the bars comes from the jails, a din
That mortifies and leaves one quietly insane!
The Aljube, for little old biddies and children,
Hardy ever imprisons a noble woman!

I'm sure I have an aneurysm;
I feel so bilious, when all the lights go on;
Seeing the cathedral, the crosses, the prison
My heart weeps and, tear-swollen, sinks in its abysm.

Apartment lights come on in clusters,
And the taverns, the cafés, the tabacs, and stalls
Spread a sheet of white reflections against the walls;
The moon reminds me of circus jugglers.

Two churches on a heart-rending square
Project the black and doleful stain of the Order:
I shade in a cruel, reclusive inquisitor,
And move through history, expanding as I dare.

Na parte que abateu no terramoto,
Muram-me as construções rectas, iguais, crescidas;
Afrontam-me, no resto, as íngremes subidas,
E os sinos dum tanger monástico e devoto.

Mas, num recinto público e vulgar,
Com bancos de namoro e exíguas pimenteiras,
Brônzeo, monumental, de proporções guerreiras,
Um épico doutrora ascende, num pilar!

E eu sonho o Cólera, imagino a Febre,
Nesta acumulação de corpos enfezados;
Sombrios e espectrais recolhem os soldados;
Inflama-se um palácio em face de um casebre.

Partem patrulhas de cavalaria
Dos arcos dos quartéis que foram já conventos:
Idade Média! A pé, outras, a passos lentos,
Derramam-se por toda a capital, que esfria.

Triste cidade! Eu temo que me avives
Uma paixão defunta! Aos lampiões distantes,
Enlutam-me, alvejando, as tuas elegantes,
Curvadas a sorrir às montras dos ourives.

E mais: as costureiras, as floristas
Descem dos *magasins*, causam-me sobressaltos;
Custa-lhes a elevar os seus pescoços altos
E muitas delas são comparsas ou coristas.

Where the earthquake knocked down everything,
I'm hemmed in by upright buildings of like designs;
Everywhere else I'm met by the steepest inclines,
And the bells' devout and monastic tolling.

But in a run-of-the-mill public square,
With lover's benches and broken little pepper trees,
Exalted in bronze, and as tall as Achilles,
a bygone epic ascends, on his plinth and pillar.

I imagine fever, cholera in the gut,
In this accumulation of shrunken bodies;
Downcast and ghost-like... returning draftees;
An inflamed palace sits opposite a humble hut.

The cavalry leaves on patrol
From barrack archways that used to be nunneries:
Middle Ages! Others, on foot, striding with ease,
Spill out, in the cold, all across the capital.

Sad city! I'm afraid you're reviving
A long dead passion in me! The distant streetlight
Makes me mourn, setting elegant ladies alight,
Bent over the jeweler's window displays, smiling.

Not only: when seamstresses and florists
Exit the *magasins*, I jump out of my skin;
They're all so weighed down they can hardly lift a chin,
And many of them are extras and vocalists.

E eu, de luneta de uma lente só,
Eu acho sempre assunto a quadros revoltados:
Entro na *brasserie*; às mesas de emigrados,
Ao riso e à crua luz joga-se o dominó.

III
Ao gás

E saio. A noite pesa, esmaga. Nos
Passeios de lajedo arrastam-se as impuras.
Ó moles hospitais! Sai das embocaduras
Um sopro que arrepia os ombros quase nus.

Cercam-me as lojas, tépidas. Eu penso
Ver círios laterais, ver filas de capelas,
Com santos e fiéis, andores, ramos, velas,
Em uma catedral de um comprimento imenso.

As burguesinhas do Catolicismo
Resvalam pelo chão minado pelos canos;
E lembram-me, ao chorar doente dos pianos,
As freiras que os jejuns matavam de histerismo.

Num cutileiro, de avental, ao torno,
Um forjador maneja um malho, rubramente;
E de uma padaria exala-se, inda quente,
Um cheiro salutar e honesto a pão no forno.

And me, with my pince-nez sitting on my nose,
I always find my subject in the most sordid plays:
I go into a *brasserie*; at the tables the *émigrés*,
Laughing under naked bulbs, are playing dominos.

III
By Gaslight

Going out into the heavy night, it crushes you.
Working women drag themselves up cobbled sidewalks.
Oh, indolent hospitals! A chill draft that stalks
Their naked shoulders blows up the open avenue.

I'm surrounded by heated shops. And all
I see are rows of church tapers, lines of chapels,
With saints and the faithful, litters, branches, candles
Running the full length of a boundless cathedral.

Prim little bourgeois Catholics
Slip along the street riddled with underground ducts;
And the ill weeping of the pianos evokes
Those nuns whose fasting drove them to hysterics.

In a knife atelier, wearing his apron
A knife maker pounds away with his mallet;
And from a bakery, the exhalation, still hot,
Of bread, that healthy honest smell from the oven.

E eu que medito um livro que exacerbe,
Quisera que o real e a análise mo dessem;
Casas de confecções e modas resplandecem;
Pelas *vitrines* olha um ratoneiro imberbe.

Longas descidas! Não poder pintar
Com versos magistrais, salubres e sinceros,
A esguia difusão dos vossos reverberos,
E a vossa palidez romântica e lunar!

Que grande cobra, a lúbrica pessoa,
Que espartilhada escolhe uns xales com debuxo!
Sua excelência atrai, magnética, entre luxo,
Que ao longo dos balcões de mogno se amontoa.

E aquela velha, de bandós! Por vezes,
A sua *traîne* imita um leque antigo, aberto,
Nas barras verticais, a duas tintas. Perto,
Escarvam, à vitória, os seus mecklemburgueses.

Desdobram-se tecidos estrangeiros;
Plantas ornamentais secam nos mostradores;
Flocos de pós de arroz pairam sufocadores,
E em nuvens de cetins requebram-se os caixeiros.

Mas tudo cansa! Apagam-se nas frentes
Os candelabros, como estrelas, pouco a pouco;
Da solidão regouga um cauteleiro rouco;
Tornam-se mausoléus as armações fulgentes.

And since I'm thinking about writing a book
That upsets everyone, I want to get it right.
Clothing shops with the latest styles light up the night.
Eyeing the *vitrines*, an adolescent crook.

Decline and fall! I'll never paint
With magisterial lines, salubrious and sincere,
the narrow diffusion of your lamp-lit veneer,
And that lunar Romantic paleness, so faint!

What a snake, with her slippery sensuality
In her corset picking through a bunch of shawls with prints!
Her perfection pulls our eyes like magnets,
Piled high on mahogany countertops, such luxury.

And that old lady with her hair in an updo,
her *traîne* like an old fan spreading its fingers
with two-toned struts while nearby her Mecklenburgers,
harnessed to her Victoria, paw the cobbles and poo.

Bolts of foreign fabric to unroll;
Ornamental plants shrivel in window displays;
Flakes of rice powder hover, blocking everyone's airways,
Through clouds of satin sashay store clerks on patrol.

It's all so exhausting. Storefront candelabra are
Snuffed out, one at a time, like bright little suns;
The fulgent shop displays turn to mausoleums;
Out of the night, comes the bark of the lottery seller.

«Dó da miséria!... Compaixão de mim!...»
E, nas esquinas, calvo, eterno, sem repouso,
Pede-me sempre esmola um homenzinho idoso,
Meu velho professor nas aulas de latim!

IV
Horas Mortas

O tecto fundo de oxigénio, de ar,
Estende-se ao comprido, ao meio das trapeiras;
Vêm lágrimas de luz dos astros com olheiras,
Enleva-me a quimera azul de transmigrar.

Por baixo, que portões! Que arruamentos!
Um parafuso cai nas lajes, às escuras:
Colocam-se taipais, rangem as fechaduras,
E os olhos dum caleche espantam-me, sangrentos.

E eu sigo, como as linhas de uma pauta
A dupla correnteza augusta das fachadas;
Pois sobem, no silêncio, infaustas e trinadas,
As notas pastoris de uma longínqua flauta.

Se eu não morresse, nunca! E eternamente
Buscasse e conseguisse a perfeição das cousas!
Esqueço-me a prever castíssimas esposas,
Que aninhem em mansões de vidro transparente!

And always on the street corners of Lisbon,
An old man stops me to ask for alms; “Pity me,
Have some compassion.” He’s full of anxiety—
He’s my old school master, the one who taught me Latin.

IV
Dead Hours

The world’s ceiling of oxygen and air
Stretches out between a row of rooftop dormers,
Tears of starlight fall from the tired corners
Of the sky, into my blue dream of going there.

Below, what gates! Streets like a maze!
A screw falls on the paving stones into the shadows:
Window shutters clap shut, door bolts thrown, doors close,
A caleche startles me with its bleeding eyes.

Like the lines of a staff, I’m in pursuit
Of the double file of façades, serried and august;
As rising in silence, trilling in sad disgust,
The pastoral notes of a distant flute.

If I never had to die, ever, or forever
Search for, or even find the perfection of a thing…
Oh, I lose myself in imagining
A chaste wife nesting in a glass manor.

Ó nossos filhos! Que de sonhos ágeis,
Pousando, vos trarão a nitidez às vidas!
Eu quero as vossas mães e irmãs estremecidas,
Numas habitações translúcidas e frágeis.

Ah! Como a raça ruiva do porvir,
E as frotas dos avós, e os nómadas ardentes,
Nós vamos explorar todos os continentes
E pelas vastidões aquáticas seguir!

Mas se vivemos, os emparedados,
Sem árvores, no vale escuro das muralhas!...
Julgo avistar, na treva, as folhas das navalhas
E os gritos de socorro ouvir estrangulados.

E nestes nebulosos corredores
Nauseiam-me, surgindo, os ventres das tabernas;
Na volta, com saudade, e aos bordos sobre as pernas,
Cantam, de braço dado, uns tristes bebedores.

Eu não receio, todavia, os roubos;
Afastam-se, a distância, os dúbios caminhantes;
E sujos, sem ladrar, ósseos, febris, errantes,
Amareladamente, os cães parecem lobos.

E os guardas, que revistam as escadas,
Caminham de lanterna e servem de chaveiros;
Por cima, as imorais, nos seus roupões ligeiros,
Tossem, fumando sobre a pedra das sacadas.

What agile dreams, my sons,
You wake from, what clarity they bring to your lives!
I want your mothers and sisters, your truest loves,
To live in translucid and fragile habitations.

And like some ruddy future race,
And our ancient fathers' fleets, the ardent nomads,
We'll explore all the continents and all their lands,
And over the watery vastness set our pace.

But if we live—the walled-in—
Without trees, in the dark building-sided valleys!...
I imagine a switchblade in one of those doorways
In the dark, and I hear cries for help strangled and thin.

And these smoggy alleys
Make me feel ill, stomachs rising out of taverns;
They head home, staggering—without concerns
They sing, arms linked: the sad drunken alkies.

I'm not worried, though, about theft;
They're already moving off, dubious nightwalkers;
And filthy, not barking, bony, feverish stalkers,
Yellowish, like wolves, the stray dogs are all that's left.

And the guards that check the stairways,
Walk with lanterns lit, clinking with all sorts of keys;
Above, in their flimsy robes, women smoke in the lees,
They cough, leaning on the stone balustrades of balconies.

E, enorme, nesta massa irregular
De prédios sepulcrais, com dimensões de montes,
A Dor humana busca os amplos horizontes,
E tem marés, de fel, como um sinistro mar!

And, enormous, in its bumpy
Mass of sepulchral buildings the size of mountains,
Human pain is seeking expanded horizons,
With its tides of gall, like some sinister sea.

Flores velhas

Fui ontem visitar o jardinzinho agreste,
Aonde tanta vez a lua nos beijou,
E em tudo vi sorrir o amor que tu me deste,
Soberba como um sol, serena como um voo.

Em tudo cintilava o límpido poema
Com ósculos rimado às luzes dos planetas;
A abelha inda zumbia em torno da alfazema;
E ondulava o matiz das leves borboletas.

Em tudo eu pude ver ainda a tua imagem,
A imagem que inspirava os castos madrigais;
E as virações, o rio, os astros, a paisagem,
Traziam-me à memória idílios imortais.

Diziam-me que tu, no florido passado,
Detinhas sobre mim, ao pé daquelas rosas,
Aquele teu olhar moroso e delicado,
Que fala de langor e de emoções mimosas;

E, ó pálida Clarisse, ó alma ardente e pura,
Que não me desgostou nem uma vez sequer,
Eu não sabia haurir do cálix da ventura
O néctar que nos vem dos mimos da mulher.

Old Flowers

Yesterday visiting the overgrown garden,
Where so often the moon kissed us with moonlight,
I saw in everything the love that you'd given,
Resplendent as the sun, calm as a bird in flight.

And in all that the poem was scintillant and clear
With the kisses rhyming the light of the planets;
And the bee went buzzing around the lavender,
And light butterfly hues rose in rivulets.

And in everything there I could still see your image,
The image that inspired the purest madrigals;
And the sea breeze, river, the stars and pasturage
Roused memories in me of immortal idylls.

Everyone told me that, in the flowery past,
You held me in your gaze, next to those roses,
That look of yours, delicate eyes downcast,
That spoke of langor and feeling's gentle poses.

And, oh pallid Clarisse, oh soul burning and clear,
Who never upset me, or caused a moment's distress,
I didn't know how to sip from fate's sepaled future
All the nectar that comes from a woman's caress.

Falou-me tudo, tudo, em tons comovedores,
Do nosso amor, que uniu as almas de dois entes;
As falas quase irmãs do vento com as flores
E a mole exalação das várzeas rescendentes.

Inda pensei ouvir aquelas coisas mansas
No ninho de afeições criado para ti,
Por entre o riso claro, e as vozes das crianças,
E as nuvens que esbocei, e os sonhos que nutri.

Lembrei-me muito, muito, ó símbolo das santas,
Do tempo em que eu soltava as notas inspiradas,
E sob aquele céu e sobre aquelas plantas
Bebemos o elixir das tardes perfumadas.

E nosso bom romance escrito num desterro,
Com beijos sem ruído em noites sem luar,
Fizeram-mo reler, mais tristes que um enterro,
Os goivos, a baunilha e as rosas-de-toucar.

Mas tu agora nunca, ah! nunca mais te sentas
Nos bancos de tijolo em musgo atapetados,
E eu não te beijarei, às horas sonolentas,
Os dedos de marfim, polidos e delgados...

Eu, por não ter sabido amar os movimentos
Da estrofe mais ideal das harmonias mudas,
Eu sinto as decepções e os grandes desalentos
E tenho um riso mau como o sorrir de Judas.

She told me everything in such affecting timbres
Of our love, that coupled the souls of two beings;
And the sisterly words of wind with the flowers
And redolent meadows and fields' softest waftings.

I still thought I could hear all of those peaceful things
In the nest of feelings that I fashioned for you,
Amid the crisp laughter, and the children's callings,
And the clouds I sketched, the dreams I attended to.

I often... so often, recalled, the symbols of the saints,
All those times I came up with inspired reflections,
And under that sky and in the midst of those plants,
We drank the elixir of afternoon's passions.

And our lovely novel written in long exile,
With kisses in night's silence through moonless hours,
Those orchids and roses—sad as a funeral—
Had me rereading it... all those gillyflowers.

But now you'll never, no! never sit more
Upon the brick benches grown carpeted with moss,
And I will never kiss you, through the sleepy hour,
Your fingers of marble, slight, polished to a gloss...

I, in not having known, how to love the movements
Of the most ideal strophe, its harmonies wordless,
I am swept by dismay, all the disappointments,
And my laugh is evil, like the smile of Judas.

E tudo enfim passou, passou como uma pena
Que o mar leva no dorso exposto aos vendavais,
E aquela doce vida, aquela vida amena,
Ah! nunca mais virá, meu lírio, nunca mais!

Ó minha boa amiga, ó minha meiga amante!
Quando ontem eu pisei, bem magro e bem curvado,
A areia em que rangia a saia roçagante,
Que foi na minha vida o céu aurirrosado,

Eu tinha tão impresso o cunho da saudade,
Que as ondas que formei das suas ilusões
Fizeram-me enganar na minha soledade
E as asas ir abrindo às minhas impressões.

Soltei com devoção lembranças inda escravas,
No espaço construí fantásticos castelos,
No tanque debrucei-me em que te debruçavas,
E onde o luar parava os raios amarelos.

Cuidei até sentir, mais doce que uma prece,
Suster a minha fé, num véu consolador,
O teu divino olhar que as pedras amolece,
E há muito me prendeu nos cárceres do amor.

Os teus pequenos pés, aqueles pés suaves,
Julguei-os esconder por entre as minhas mãos,
E imaginei ouvir ao conversar das aves
As célicas canções dos anjos teus irmãos.

And all in the end passed, it passed like a feather
That the sea carries on its back far from the shore,
And that lenient life, that life of mild weather,
Will never come again, my lily, never more!

Oh my beautiful friend, oh my gentle lover!
Yesterday when I stepped, too slender, too leaned over
The sand on which your whispering skirt would hover
Which in my life was the rose-gilded sky on fire,

I was so imprinted with this soft bitterness
The waves I created out of its illusions
Had me fooling myself in my sad loneliness
And the wings opened on mistaken impression.

Devotedly I loosed memories still quarantined,
I built unreal castles out of unreal space,
I leaned over the tank over which you too leaned,
Where the light of the moon folded its yellow lace.

I even thought I felt—sweeter than a prayer,
My faith held in the sway of a comforting veil—
That which could soften stones, your angelic stare,
It caught me forever, a prisoner in love's jail.

I think I imagined your soft small feet hiding,
And I guessed I was hiding them in my palms
I imagined I heard the birds that were singing
The celestial songs, your brothers the angels' psalms.

E como na minha alma a luz era uma aurora,
A aragem ao passar parece que me trouxe
O som da tua voz, metálica, sonora,
E o teu perfume forte, o teu perfume doce.

Agonizava o sol gostosa e lentamente,
Um sino que tangia, austero e com vagar,
Vestia de tristeza esta paixão veemente,
Esta doença, enfim, que a morte há-de curar.

E quando me envolveu a noite, noite fria,
Eu trouxe do jardim duas saudades roxas,
E vim a meditar em quem me cerraria,
Depois de eu morrer, as pálpebras já frouxas.

Pois que, minha adorada, eu peço que não creias
Que eu amo esta existência e não lhe queira um fim;
Há tempos que não sinto o sangue pelas veias
E a campa talvez seja afável para mim.

Portanto, eu, que não cedo às atracções do gozo,
Sem custo hei-de deixar as mágoas deste mundo,
E, ó pálida mulher, de longo olhar piedoso,
Em breve te olharei calado e moribundo.

Mas quero só fugir das coisas e dos seres,
Só quero abandonar a vida triste e má
Na véspera do dia em que também morreres,
Morreres de pesar, por eu não *viver* já!

And just as in my soul, the light was like daybreak,
A casual bit of wind in passing seemed to assume
The timbre of your voice, consonant and metallic,
And your strong perfume, your sweet perfume.

The sun in its final delicate throes slowly died.
And losing its sense of time, a bell peeled, austere,
And dressed in sadness this vehement passion cried,
Sickness unto death that only death can cure.

And when the night enshrouded me, the frigid night,
I went to pluck from the garden two morning brides,
And came to meditate upon who would close tight
My lax and untensed eyelids after I had died.

Since, if you can, my dearest, you should not believe
That I love this quiddity too much to end it;
So long since I felt my blood run and my heart heave,
The grave perhaps for me would be a better fit.

So, I, who never cede to the pull of jouissance,
I'll leave the hurts of this world without cost,
And, oh my pale love, with your long and merciful glance,
Soon I'll look back at you, speechless, dying, lost.

But I only want to flee from things and beings,
I only want to forswear this life—so sad, so wrong,
On the eve of the day that brings you, grieving,
To the brink of the end, grieving for me, already gone!

E não virás, chorosa, aos rústicos tapetes,
Com lágrimas regar as plantações ruins;
E esperarão por ti, naqueles alegretes,
As dálias a chorar nos braços dos jasmins!

And you won't come, weeping, to the rustic carpets,
Your flowing tears to water the beds in ruins;
And they will wait for you, in their broken plots,
Dahlias crying in the arms of jasmines!

Mário de Sá-Carneiro

Lisbon, 19 May 1890 – Paris, 26 April 1916

Mário de Sá-Carneiro (Lisbon, 19 May 1890 – Paris, 26 April 1916) was one of the most original figures of the Portuguese Modernist movement and a co-founder of its short lived magazine, *Orpheu* (1915). With unfinished studies in Coimbra and at the Sorbonne, it was in Paris that he wrote his finest poems, depicting his life as an extravagant, frustrated and desperate bohemian young man (a life sponsored by his father). Sá-Carneiro left France after the outbreak of the First World War. But amid a moral and financial crisis, and shortly after a quarrel with his father, he returned to Paris where he spent his last months in deep depression and insurmountable grief. In a letter to his friend Fernando Pessoa, Sá-Carneiro signalled his will to put an end to his life, which he did shortly afterwards, at the age of 25.

M.D.*

* Martin D'Evelin writes in British English.

Feminina

Eu queria ser mulher pra me poder estender
Ao lado dos meus amigos, nas *banquettes* dos cafés.
Eu queria ser mulher para poder estender
Pó de arroz pelo meu rosto, diante de todos, nos cafés.

Eu queria ser mulher pra não ter que pensar na vida
E conhecer muitos velhos a quem pedisse dinheiro —
Eu queria ser mulher para passar o dia inteiro
A falar de modas e a fazer *potins* — muito entretida.

Eu queria ser mulher para mexer nos meus seios
E aguçá-los ao espelho, antes de me deitar —
Eu queria ser mulher pra que me fossem bem estes enleios,
Que num homem, francamente, não se podem desculpar.

Eu queria ser mulher para ter muitos amantes
E enganá-los a todos — mesmo ao predilecto —
Como eu gostava de enganar o meu amante loiro, o mais esbelto,
Com um rapaz gordo e feio, de modos extravagantes...

Eu queria ser mulher para excitar quem me olhasse,
Eu queria ser mulher pra me poder recusar...
....

15 de Fevereiro de 1916.

To be a woman

I would like to be a woman so that I could stretch out
beside my friends on the bench seats in the cafés.
I would like to be a woman so that I could put
rice powder on my face, in front of everybody, in the cafés.

I would like to be a woman so as not to have to think about life
and to meet many old men who I could ask for money—
I would like to be a woman in order to spend the entire day
talking about fashion and gossiping—how amusing.

I would like to be a woman so as to be able to play with my breasts
and arouse them in the mirror before going to bed—
I would like to be a woman so that I could act suitably bewildered,
something which in a man, frankly, could not be excused.

I would like to be a woman in order to have many lovers
and betray them all—even my favourite.
How I wish I could betray my blonde, most handsome lover,
with a fat, ugly and extravagantly mannered boy...

I would like to be a woman to excite those who would look at me,
I would like to be a woman so that I could say no to myself...
....

February 15, 1916.

Como eu não possuo

Olho em volta de mim. Todos possuem —
Um afecto, um sorriso ou um abraço.
Só para mim as ânsias se diluem
E não possuo mesmo quando enlaço.

Roça por mim, em longe, a teoria
Dos espasmos golfados ruivamente;
São êxtases da cor que eu fremiria,
Mas a minh'alma pára e não os sente!

Quero sentir. Não sei... perco-me todo...
Não posso afeiçoar-me nem ser eu:
Falta-me egoísmo para ascender ao céu,
Falta-me unção pra me afundar no lodo.

Não sou amigo de ninguém. Pra o ser
Forçoso me era antes possuir
Quem eu estimasse — ou homem ou mulher,
E eu não logro nunca possuir!...

Castrado d'alma e sem saber fixar-me,
Tarde a tarde na minha dor me afundo...
— Serei um emigrado doutro mundo
Que nem na minha dor posso encontrar-me?...

As I do not possess

I look all around me. Everyone possesses—
a caress, a smile or some affection.
Only for me my longings subside
and I do not possess, even when I embrace.

The theory of spasms, spurted in red hot fire,
touches me from afar.
They are ecstasies of colour in which I should tremble,
but my soul ceases and does not feel them!

I want to feel. I do not know… I go astray…
I can neither become attached, nor still be me:
I lack the selfishness to ascend to heaven,
I lack the anointing to sink into the mire.

I am a friend to nobody, for to be so
I would first have to possess
those I esteemed—either man or woman,
and I have never succeeded in possessing!…

Castrated of soul and not knowing the remedy,
every afternoon, I sink a little deeper into grief…
—Am I an emigrant from another world
where even in the throes of my pain I cannot find myself?…

*

*   *

Como eu desejo a que ali vai na rua,
Tão ágil, tão agreste, tão de amor...
Como eu quisera emaranhá-la nua,
Bebê-la em espasmos d'harmonia e cor!...

Desejo errado... Se a tivera um dia,
Toda sem véus, a carne estilizada
Sob o meu corpo arfando transbordada,
Nem mesmo assim — ó ânsia! — eu a teria...

Eu vibraria só agonizante
Sobre o seu corpo d'êxtases dourados,
Se fosse aqueles seios transtornados,
Se fosse aquele sexo aglutinante...

De embate ao meu amor todo me ruo,
E vejo-me em destroço até vencendo:
É que eu teria só, sentindo e sendo
Aquilo que estrebucho e não possuo.

Paris – Maio 1913.

*

* *

How I wish that girl walking down the road,
so nimble, so wild, so full of love...
How I wish I could entwine with her naked body
and lap her up amongst the waves of harmony and colour!...

A wrong desire... If only, one day, I could possess her
unveiled, perfect flesh
gasping heavily underneath my body...
Not even in this way, alas, could I hope to possess her...

I would only tremble
on her body of golden ecstasies,
if I were those breasts disheveled,
if I were her passion adhered...

In colliding with my love, I completely collapse,
and I see myself shattered, even when I overcome:
only then could I have, could I feel and could I be
that which I struggle for but cannot possess.

Paris – May 1913.

Quase

Um pouco mais de sol — eu era brasa,
Um pouco mais de azul — eu era além.
Para atingir, faltou-me um golpe d'asa...
Se ao menos eu permanecesse aquém...

Assombro ou paz? Em vão... Tudo esvaído
Num baixo mar enganador d'espuma;
E o grande sonho despertado em bruma,
O grande sonho — ó dor! — quase vivido...

Quase o amor, quase o triunfo e a chama,
Quase o princípio e o fim — quase a expansão...
Mas na minh'alma tudo se derrama...
Entanto nada foi só ilusão!

De tudo houve um começo... e tudo errou...
— Ai a dor de ser-quase, dor sem fim... —
Eu falhei-me entre os mais, falhei em mim,
Asa que se elançou mas não voou...

Momentos d'alma que desbaratei...
Templos aonde nunca pus um altar...
Rios que perdi sem os levar ao mar...
Ânsias que foram mas que não fixei...

Almost

A little more sunshine—and I would be ember,
A little more blue—and I would take flight.
But I lacked that impulse to get there...
If only I had remained where I was...

In wonder or in peace? In vain... All vanished in
a deceptive shallow sea of foam;
and the great dream, awoken in mist,
the great dream—oh grief!—a dream almost lived...

Almost love, almost triumph and flame,
almost the beginning and the end—almost too much...
But in my soul, everything pours...
and yet, it was nothing but an illusion!

In all there was a beginning... and all went wrong...
—Oh the agony of being almost, an endless agony...—
In the midst of others I failed myself,
an open wing that could not fly...

Flashes of my soul I thwarted...
Temples where altars I never lay...
Rivers I lost, never taking them to sea...
Longings I felt but that were lost within...

Se me vagueio, encontro só indícios...
Ogivas para o sol — vejo-as cerradas;
E mãos d'herói, sem fé, acobardadas,
Puseram grades sobre os precipícios...

Num ímpeto difuso de quebranto,
Tudo encetei e nada possuí...
Hoje, de mim, só resta o desencanto
Das coisas que beijei mas não vivi...

. . . .
. . . .

Um pouco mais de sol — e fora brasa,
Um pouco mais de azul — e fora além.
Para atingir, faltou-me um golpe d'asa...
Se ao menos eu permanecesse aquém...

Paris 1913 – Maio 13.

As I wander, only signs do I encounter...
Ways to the sun—I see them closed;
and my faithless hands of a hero
cowardly placed bars on the cliffs...

In a moment of weakness,
all I approached, but nothing I possessed...
Today, for me, there is only disappointment
for the things I kissed but never lived...

. . . .
. . . .

A little more sunshine—and I would have been ember,
a little more blue—and I would have taken flight.
But I lacked that impulse to get there...
If only I had remained where I was...

Paris 1913 – May 13.

Dispersão

Perdi-me dentro de mim
Porque eu era labirinto,
E hoje, quando me sinto,
É com saudades de mim.

Passei pela minha vida
Um astro doido a sonhar.
Na ânsia de ultrapassar,
Nem dei pela minha vida...

Para mim é sempre ontem,
Não tenho amanhã nem hoje:
O tempo que aos outros foge
Cai sobre mim feito ontem.

(O Domingo de Paris
Lembra-me o desaparecido
Que sentia comovido
Os Domingos de Paris:

Porque um Domingo é família,
É bem-estar, é singeleza,
E os que olham a beleza
Não têm bem-estar nem família.)

Dispersion

I got lost within myself
because I was a labyrinth,
and today, when I look at me,
I feel I miss myself.

I have gone through all of my life
as a star, insane, dreaming.
With the eagerness to overcome,
I did not notice my life…

For me, it is always yesterday,
nor do I have tomorrow or today:
the time that escapes others
falls down on me as if yesterday.

(A Sunday in Paris
reminds me of the one I've lost,
the one who was moved emotionally
by those Sundays in Paris;

for Sunday means love,
it means ease and simplicity,
and those seeking external beauty
are devoid of happiness and love.)

O pobre moço das ânsias...
Tu, sim, tu eras alguém!
E foi por isso também
Que te abismaste nas ânsias.

A grande ave dourada
Bateu asas para os céus,
Mas fechou-as saciada
Ao ver que ganhava os céus.

Como se chora um amante,
Assim me choro a mim mesmo:
Eu fui amante inconstante
Que se traiu a si mesmo.

Não sinto o espaço que encerro
Nem as linhas que projecto:
Se me olho a um espelho, erro —
Não me acho no que projecto.

Regresso dentro de mim,
Mas nada me fala, nada!
Tenho a alma amortalhada,
Sequinha, dentro de mim.

Não perdi a minha alma,
Fiquei com ela, perdida.
Assim eu choro, da vida,
A morte da minha alma.

The poor boy in his eagerness...
Yes, you were once someone!
And that's why you plummeted
into the abyss of your eagerness.

The great golden bird
took flight to the heavens,
but when satisfied his wings he relaxed,
pleased by his conquest of the heavens.

As a lover cries for another,
I too do the same for myself:
I was an inconstant lover
who betrayed no one but myself.

I do not perceive my own space
nor the guidelines that I project:
if I look in the mirror, I wander—
and can't find me in the image I project.

I venture back inside myself,
but nothing speaks to me, nothing!
My soul feels enshrouded
and arid within myself.

I did not misplace my soul,
I remained with it, lost inside.
And so I weep in life
the passing of my soul.

Saudosamente recordo
Uma gentil companheira
Que na minha vida inteira
Eu nunca vi... Mas recordo

A sua boca doirada
E o seu corpo esmaecido,
Em um hálito perdido
Que vem na tarde doirada.

(As minhas grandes saudades
São do que nunca enlacei.
Ai, como eu tenho saudades
Dos sonhos que não sonhei!...)

E sinto que a minha morte —
Minha dispersão total —
Existe lá longe, ao norte,
Numa grande capital.

Vejo o meu último dia
Pintado em rolos de fumo,
E todo azul-de-agonia
Em sombra e além me sumo.

Ternura feita saudade,
Eu beijo as minhas mãos brancas...
Sou amor e piedade
Em face dessas mãos brancas...

Wistfully I remember
a kind and gentle companion
which in my entire life
I've never seen... but remember

her mouth so gilded,
her body in ebb,
a breath that is lost
in that afternoon, so gilded.

(And great is my longing
for what I never possessed.
How deep is my longing
for dreams I never dreamed!...)

And I feel my own death—
my own entire dispersion—
lies in a city so great,
so far away to the north.

My final day I see
painted in wafts of smoke,
all in an agony of blue,
vanishing in a puff of smoke.

With tenderness turned into longing,
I kiss my hands so white...
I'm love and I'm compassion
admiring those hands so white...

Tristes mãos longas e lindas
Que eram feitas pra se dar...
Ninguém mas quis apertar...
Tristes mãos longas e lindas...

E tenho pena de mim,
Pobre menino ideal...
Que me faltou afinal?
Um elo? Um rastro?... Ai de mim!...

Desceu-me n'alma o crepúsculo;
Eu fui alguém que passou.
Serei, mas já não me sou;
Não vivo, durmo o crepúsculo.

Álcool dum sono outonal
Me penetrou vagamente
A difundir-me dormente
Em uma bruma outonal.

Perdi a morte e a vida,
E, louco, não enlouqueço...
A hora foge vivida,
Eu sigo-a, mas permaneço...

. . . .

. . . .

My sad hands, long and beautiful,
which were made to be shared...
Nobody wanted to hold them...
My sad hands, long and beautiful...

And I pity myself, I pity me,
poor, perfect little boy...
What did I lack—not have?
A link? A trace?... Take pity on me!...

Into my soul descended the twilight;
I was someone who had departed.
I will be, but as yet am not;
I do not live, but sleep in twilight.

The alcohol of a sleep autumnal
has gently pervaded my body
paralyzing my existence
in a dank mist autumnal.

I have lost both death and life,
and am mad, but not driven so...
The time lived flees,
I follow it, but just remain...

. . . .

. . . .

Castelos desmantelados,
Leões alados sem juba...

. . . .

. . . .

Paris – Maio de 1913.

Castles dismantled,
winged lions without their manes...

. . . .

. . . .

Paris – May 1913.

Aquele outro

O dúbio mascarado — o mentiroso
Afinal, que passou na vida incógnito.
O Rei-lua postiço, o falso atónito —
Bem no fundo, o cobarde rigoroso.

Em vez de Pajem, bobo presunçoso,
Sua Alma de neve, asco dum vómito —
Seu ânimo, cantado como indómito,
Um lacaio invertido e pressuroso.

O sem nervos nem Ânsia — o papa-açorda,
(Seu coração talvez movido a corda...)
Apesar de seus berros ao Ideal.

O raimoso, o corrido, o desleal —
O balofo arrotando Império astral:
O mago sem condão, o Esfinge gorda...

Paris Fevereiro 1916.

The other one

The duplicitous masked liar,
who after all spent his life in incognito.
The phoney Moon King, the bogus bewildered—
deep in his soul, a veritable coward.

Rather than a page boy, a conceited jester.
His soul of snow, made up of nauseous vomit—
His courage sung in all its arrogance,
a contrary and more than diligent lackey.

The devoid of nerves and eagerness—the cold fish
(perhaps his heart moved as if clockwork...),
in spite of screaming for perfection.

The fulsome, the banished, the disloyal—
the pompous belching celestial Empire:
the powerless magician, the corpulent Sphinx...

Paris, February 1916.

7

Eu não sou eu nem sou o outro,
Sou qualquer coisa de intermédio:
  Pilar da ponte de tédio
  Que vai de mim para o Outro.

Lisboa, Fevereiro de 1914.

7

I am neither myself nor the other,
I am something in the middle:
    a pillar holding up a bridge of boredom
    that extends from me, right to the Other.

Lisbon, February 1914.

Além-tédio

Nada me expira já, nada me vive —
Nem a tristeza nem as horas belas.
De as não ter e de nunca vir a tê-las,
Fartam-me até as coisas que não tive.

Como eu quisera, enfim d'alma esquecida,
Dormir em paz num leito d'hospital...
Cansei dentro de mim, cansei a vida
De tanto a divagar em luz irreal.

Outrora imaginei escalar os céus
À força de ambição e nostalgia,
E doente-de-Novo, fui-me Deus
No grande rastro fulvo que me ardia.

Parti. Mas logo regressei à dor,
Pois tudo me ruiu... Tudo era igual:
A quimera, cingida, era real,
A própria maravilha tinha cor!

Ecoando-me em silêncio, a noite escura
Baixou-me assim na queda sem remédio;
Eu próprio me traguei na profundura,
Me sequei todo, endureci de tédio.

Beyond boredom

Nothing dies nor lives in me, no longer—
Neither sorrow nor the hours so beautiful.
Even things I have never had weary me,
as I have never had them and never will.

How much I desired, my soul forgotten,
to sleep in peace in a hospital bed...
Tired within, I tired my life
from so much wandering in intangible light.

Once I imagined I climbed the heavens
by drive of ambition and nostalgia,
and, ill again, I believed myself God
on that long brick red trail, so very much aflame.

I departed. But to the pain I soon returned,
for all collapsed within me... All was the same:
the chimera, confined, was real in itself,
and even the very wonder was coloured!

The dark night, echoing to me in silence,
irretrievably fell down on me whilst I was falling;
in the depths of darkness I swallowed myself whole,
and so much boredom dried out my soul.

E só me resta hoje uma alegria:
É que, de tão iguais e tão vazios,
Os instantes me esvoam dia a dia
Cada vez mais velozes, mais esguios...

Paris 1913 – Maio 15.

And today a single source of joy remains:
so much the same and so very empty,
the moments escape me and flee day after day,
faster and faster, slighter and slighter...

Paris 1913 – May 15.

Quando eu morrer batam em latas,
Rompam aos saltos e aos pinotes —
Façam estalar no ar chicotes,
Chamem palhaços e acrobatas.

Que o meu caixão vá sobre um burro
Ajaezado à andaluza:
A um morto nada se recusa,
E eu quero por força ir de burro...

....
....

When I die, bang the drums,
leap up and down and pirouette—
crack the whips in the air,
call on clowns and acrobats.

Put my coffin on the back of a donkey
all attired in the Andalusian way:
for the dead nothing should be refused,
and I want a donkey to carry me, come what may...

....
....

Florbela Espanca

Vila Viçosa, 8 December 1894 – Matosinhos, 8 December 1930

The dates themselves paint the tragedy with awful symmetry. She was born into an unconventional family in a very conventional world, and she spent most of her short life rebelling against all the expectations a young woman in *fin de siècle* Portugal was obliged to meet, first in the Alentejo in the southeast of the country, where she married young and taught school, and later in Lisbon. But even the circumstances of her birth had put her at odds with the repressively conservative Catholic world of rural Portugal. Her repurposed family would do its best by means of legal and parental convolutions as they desperately tried to maintain appearances. Florbela and her brother Apeles's mother was a peasant woman who served as a housekeeper in her father's household. Her father's wife, who would become her Godmother, and who was incapable of having children of her own, and her father, who was obviously in love with Florbela's beautiful fifteen-year-old mother, settled upon a kind of domestic menage-a-trois which would allow the two children to be raised in their father's house, and in which maternal duties were shared between the wife and the housekeeper. Florbela was baptized as Flor Bela d'Alma da Conceição, taking her mother's surname, Lobo; paternity was registered with the local officials as unknown, thereby shifting the onus of birth out of wedlock to the housemaid, who died when Florbela was 8 years old of neurosis, an illness that Florbela herself would inherit. Her father only recognized paternity of Florbela well after her death by suicide on her thirty-sixth birthday. It was the poet's feminist, revolutionary and at times arch Romantic content composed in tight Petrarchan sonnets which so astonished the literary world of Lisbon where she moved to study law, one of only seven women at the university. There she suffered miscarriages, was divorced a second time, began to show signs of mental illness, and continued to write the astonishing sonnets that had begun to make her famous. Imagine Sylvia Plath enfolding her angry, love-scorched sensibility into the precise strictures of the Italian form, each word perfectly set, like an opal, in its bezel of grief. Then add Rilke's metaphysical realism: "*Ein jeder Engel ist schrecklich*... Every angel is terrifying." And finally, the immediacy of Emily Dickinson's pocket dramas, at every turn dueling death. You'll begin to get a sense of Florbela, the latest in a line of Portuguese suicides, oedipally cast, daddy's illegitimate little girl, Portugal's illegitimate poetisa, its Jeanne d'Arc of the lyric rushing the barriers of education, sexual freedom, male genius, and putting both Camões and Antero Quental through their paces like dead white males in ghost harnesses. She was a force to be reckoned with.

M.E.

A uma rapariga

A Nice

Abre os olhos e encara a vida! A sina
Tem que cumprir-se! Alarga os horizontes!
Por sobre lamaçais alteia pontes
Com tuas mãos preciosas de menina.

Nessa estrada da vida que fascina
Caminha sempre em frente, além dos montes!
Morde os frutos a rir! Bebe nas fontes!
Beija aqueles que a sorte te destina!

Trata por tu a mais longínqua estrela,
Escava com as mãos a própria cova
E depois, a sorrir, deita-te nela!

Que as mãos da terra façam, com amor,
Da graça do teu corpo, esguia e nova,
Surgir à luz a haste duma flor!...

To a Young Girl

For Nice

Open your eyes and face your life! Your fate
Must be fulfilled! Expand your horizons!
High bridges across the dead zones
With your lovely girlish hands inaugurate.

On this highroad of life that thrills you
Walk straight ahead, over the hills!
Biting fruits in laughter, drinking at rills!
Kiss those whom destiny brings you!

The farthest star is your dearest friend,
Use your own hands to dig your own grave,
And then, smiling, lie in it, end to end.

With love, let earth's hands nurture
Out of your body's grace, slender and naïve,
Up into the light, the stem of a flower.

Amar!

Eu quero amar, amar perdidamente!
Amar só por amar: Aqui... além...
Mais Este e Aquele, o Outro e toda a gente...
Amar! Amar! E não amar ninguém!

Recordar? Esquecer? Indiferente!...
Prender ou desprender? É mal? É bem?
Quem disser que se pode amar alguém
Durante a vida inteira é porque mente!

Há uma Primavera em cada vida:
É preciso cantá-la assim florida,
Pois se Deus nos deu voz, foi pra cantar!

E se um dia hei de ser pó, cinza e nada,
Que seja a minha noite uma alvorada,
Que me saiba perder... pra me encontrar...

To Love!

I want to love, and do it with abandon!
Love for love's sake: Here...and wherever...
This one and that one, that one too, everyone...
Love! Love! And never love anybody, ever!

Remember? Forget? It doesn't matter!...
Hold on or let go? Is it bad? Is it good?
Love someone forever. It's understood
Whoever says that is a liar.

Each and every life has its spring:
So you better sing when it's blooming,
If God gave us a voice, it's to sing with!

If the day comes that I'm dust, ash, nothing,
Let my night be my dawning,
Let me learn to lose myself...to find myself...

Volúpia

No divino impudor da mocidade,
Nesse êxtase pagão que vence a sorte,
Num frémito vibrante de ansiedade,
Dou-te o meu corpo prometido à morte!

A sombra entre a mentira e a verdade...
A nuvem que arrastou o vento norte...
— Meu corpo! Trago nele um vinho forte:
Meus beijos de volúpia e de maldade!

Trago dálias vermelhas no regaço...
São os dedos do sol quando te abraço,
Cravados no teu peito como lanças!

E do meu corpo os leves arabescos
Vão-te envolvendo em círculos dantescos
Felinamente, em voluptuosas danças...

Voluptuousness

In the divine immodesty of youth,
In that pagan ecstasy that defeats destiny,
In the vibrant thrumming of anxiety,
I give you my body promised to death!

The shadow between the lie and truth...
The cloud that dragged the north wind...
—My body! I carry a heavy wine within:
My voluptuous kisses are wicked and uncouth!

I carry vermilion dahlias between my thighs...
They're the sun's fingertips when I embrace you,
Stuck in your chest like lances!

And the light arabesques as my body flies
Around you, wraps you in a Dantean circle
Like a cat, in voluptuous dances...

Os versos que te fiz

Deixa dizer-te os lindos versos raros
Que a minha boca tem pra te dizer!
São talhados em mármore de Paros
Cinzelados por mim pra te oferecer.

Têm dolências de veludos caros,
São como sedas pálidas a arder...
Deixa dizer-te os lindos versos raros
Que foram feitos pra te endoidecer!

Mas, meu Amor, eu não tos digo ainda...
Que a boca da mulher é sempre linda
Se dentro guarda um verso que não diz!

Amo-te tanto! E nunca te beijei...
E nesse beijo, Amor, que eu te não dei
Guardo os versos mais lindos que te fiz!

The Verses I Made for You

These rare verses—they're beautiful.
In my mouth ready to give to you.
To you I offer what I chisel...
The marble from Paros I hew.

They have velvet dolors dear,
They're like pale silk on fire...
These rare verses—they're sheer,
Made to make you as mad as a hatter.

Love, I'll wait if you'll permit me...
A woman's mouth is always pretty
If she holds her tongue.

I love you! Though I never kissed you...
And in that kiss, dear, I've kept from you
I'm holding the prettiest verses ever sung.

Amiga

Deixa-me ser a tua amiga, Amor;
A tua amiga só, já que não queres
Que pelo teu amor seja a melhor,
A mais triste de todas as mulheres.

Que só, de ti, me venha mágoa e dor
O que me importa a mim?! O que quiseres
É sempre um sonho bom! Seja o que for,
Bendito sejas tu por mo dizeres!

Beija-me as mãos, Amor, devagarinho...
Como se os dois nascêssemos irmãos,
Aves cantando, ao sol, no mesmo ninho...

Beija-mas bem!... Que fantasia louca
Guardar assim, fechados, nestas mãos,
Os beijos que sonhei prà minha boca!...

Just Friends

Let me be your friend, my dear;
Just your friend, since you no longer
Want the saddest woman ever
To be, with your love, a girl without peer.

If from you come only hurt and sorrow,
What does it matter?! Your desire
Is my every dream. Whatever,
Bless you for letting me know!

Kiss my hands, dear, no hurrying…
As if we were born sister and brother,
Two birds in the same nest singing…

Kiss them well!…Such mad invention
To keep them in these hands, a little treasure
The kisses I imagined for my mouth!..

Mentiras

Ai quem me dera uma feliz mentira
que fosse uma verdade para mim!
(Júlio Dantas)

Tu julgas que eu não sei que tu me mentes
Quando o teu doce olhar pousa no meu?
Pois julgas que eu não sei o que tu sentes?
Qual a imagem que alberga o peito teu?

Ai, se o sei, meu amor! Eu bem distingo
O bom sonho da feroz realidade...
Não palpita d'amor um coração
Que anda vogando em ondas de saudade!

Embora mintas bem, não te acredito;
Perpassa nos teus olhos desleais
O gelo do teu peito de granito...

Mas finjo-me enganada, meu encanto,
Que um engano feliz vale bem mais
Que um desengano que nos custa tanto!

Lies

Oh, I wish a happy lie
were a truth for me!
(Júlio Dantas)

You suppose I don't know you're lying
When your sweet gaze rests on mine?
You suppose I don't know what you're feeling?
What that image is your heart enshrines?

Don't worry dear, I can distinguish clearly
The good dream from the harsh reality...
The heart from love is not burning
When sailing through waves of yearning!

Though you lie so well, I hardly believe it;
It's right there in your unfaithful eyes,
The ice in your heart of granite...

But I pretend I'm fooled, a charming habit—
A happy deceit is worth all the lies.
Pity that the cost of candor has no limit.

Vaidade

Sonho que sou a Poetisa eleita,
Aquela que diz tudo e tudo sabe,
Que tem a inspiração pura e perfeita,
Que reúne num verso a imensidade!

Sonho que um verso meu tem claridade
Para encher todo o mundo! E que deleita
Mesmo aqueles que morrem de saudade!
Mesmo os de alma profunda e insatisfeita!

Sonho que sou Alguém cá neste mundo…
Aquela de saber vasto e profundo,
Aos pés de quem a terra anda curvada!

E quando mais no céu eu vou sonhando,
E quando mais no alto ando voando,
Acordo do meu sonho… E não sou nada!…

Vanity

I dream that I'm the poetess elect,
Who knows all and says all in verse,
Whose inspiration is pure and perfect,
Whose every line contains the universe.

I dream that a line of mine has clarity
Enough to fill the world! And will content
Even those who are dying of paucity!
Even those artesian souls, the malcontent!

I dream that on this earth I'm special...
One of deep erudition, immeasurable,
At the feet of whom the world is frothing!

And the more sky-high, the more aerial,
When, finally, I reach the sky and sail,
I wake from my dream... And am nothing!...

Torre de névoa

Subi ao alto, à minha Torre esguia,
Feita de fumo, névoas e luar,
E pus-me, comovida, a conversar
Com os poetas mortos, todo o dia.

Contei-lhes os meus sonhos, a alegria
Dos versos que são meus, do meu sonhar,
E todos os poetas, a chorar,
Responderam-me então: «Que fantasia,

Criança doida e crente! Nós também
Tivemos ilusões, como ninguém,
E tudo nos fugiu, tudo morreu!...»

Calaram-se os poetas, tristemente...
E é desde então que eu choro amargamente
Na minha Torre esguia junto ao céu!...

Vapor tower

I climbed high up my slender tower,
Made of moonlight, smoke and vapor,
And deeply moved started to confer
With dead poets until day's last hour.

I told them my dreams, and the rapture
I felt for my poems, the nature
Of my vision. They started to whimper,
And said: "What a castle in the air,

You mad gullible child! We too
Had our illusions, they seemed so true,
But it all slipped away, began to die!...

The poets went quiet, the world did rue...
And ever since I bitterly cry
In my slender tower high in the sky!...

A maior tortura

A um grande poeta de Portugal!

Na vida, para mim, não há deleite.
Ando a chorar convulsa noite e dia...
E não tenho uma sombra fugidia
Onde poise a cabeça, onde me deite!

E nem flor de lilás tenho que enfeite
A minha atroz, imensa nostalgia!...
A minha pobre Mãe tão branca e fria
Deu-me a beber a Mágoa no seu leite!

Poeta, eu sou um cardo desprezado,
A urze que se pisa sob os pés.
Sou, como tu, um riso desgraçado!

Mas a minha tortura inda é maior:
Não ser poeta assim como tu és,
Para gritar num verso a minha Dor!...

The Greatest Torture

To a great Portuguese poet!

In life, for me, there's no delight.
I cry convulsively night and day...
I don't have a shadow tucked away
Where I place my head, where I alight!

Nor do I have a lilac flower to make light
Of my atrocious nostalgia, or gainsay
My yearning. Poor mother cold as clay,
Suckled me with hurt—her milk, a blight.

Poet, I'm like unloved thistle,
Or heather tamped down underfoot.
I am, like you, one at whom they whistle!

But my torture is even worse:
Not being like you are, a poet,
I can't scream out my pain in verse!...

Ser Poeta

Ser Poeta é ser mais alto, é ser maior
Do que os homens! Morder como quem beija!
É ser mendigo e dar como quem seja
Rei do Reino de Aquém e de Além Dor!

É ter de mil desejos o esplendor
E não saber sequer que se deseja!
É ter cá dentro um astro que flameja,
É ter garras e asas de condor!

É ter fome, é ter sede de Infinito!
Por elmo, as manhãs de oiro e de cetim...
É condensar o mundo num só grito!

E é amar-te, assim, perdidamente...
É seres alma e sangue e vida em mim
E dizê-lo cantando a toda a gente!

Being a Poet

Being a poet is to be higher, to reign
Over others! It's to bite as one would kiss!
It's being a beggar but giving away no less
Than King of the Kingdom of both sides of Pain!

It is having a thousand wants to entertain
And not even knowing what you wish.
Or a star inside you can't extinguish,
Having a vulture's talons and vane.

It's having hunger, a thirst for forever!
Helm of morning gold and satin...
The world distilled into a single clamor!

It's to love you like that, maniacally...
It's you as blood, as life, as soul within.
And to say it singing to everybody!

Inconstância

Procurei o amor, que me mentiu.
Pedi à Vida mais do que ela dava;
Eterna sonhadora edificava
Meu castelo de luz que me caiu!

Tanto clarão nas trevas refulgiu,
E tanto beijo a boca me queimava!
E era o sol que os longes deslumbrava
Igual a tanto sol que me fugiu!

Passei a vida a amar e a esquecer...
Um sol a apagar-se e outro a acender
Nas brumas dos atalhos por onde ando...

E este amor que assim me vai fugindo
É igual a outro amor que vai surgindo,
Que há-de partir também... nem eu sei quando...

Inconstancy

I sought out the love that lied to me.
I asked of life more that it offered;
Eternal dreamer, I erected
A castle of light—it toppled over me.

So many flashes shattered the obscurity,
So many kisses that my lips smoldered!
And the sun, the distances it discovered,
The same sun that fled from me!

I went through life loving and forgetting...
One sun setting and the other rising
Through the haze, down the paths, wherever I go...

And this love that fled from me
Is equal to the love I already foresee,
Which, in its turn, will also leave...when, I hardly know...

O que tu és

És Aquela que tudo te entristece,
Irrita e amargura, tudo humilha;
Aquela a quem a Mágoa chamou filha;
A que aos homens e a Deus nada merece.

Aquela que o sol claro entenebrece,
A que nem sabe a estrada que ora trilha,
Que nem um lindo amor de maravilha
Sequer deslumbra, e ilumina, e aquece!

Mar Morto sem marés nem ondas largas,
A rastejar no chão como as mendigas,
Todo feito de lágrimas amargas!

És ano que não teve Primavera…
Ah! Não seres como as outras raparigas
Ó Princesa Encantada da Quimera!…

What You Are...

You are the one who's saddened by everything,
Chagrin, spleen: everything brings dishonor;
The one whom sorrow called her daughter;
To God and to men, you mean nothing.

The one that the brilliant sun is darkening,
Who doesn't recognize the road before her;
For whom not even a cherished love of wonder
Is dazzling, or illuminating or warming.

A Dead Sea without tides or wide waves,
Crawling like a beggar as her shawl unfurls,
Entirely composed of bitter tears!

You're a year when spring never arrives...
Anything but being like other girls,
A princess enchanted by delusion's fears!

Noite trágica

O Pavor e a Angústia andam dançando...
Um sino grita endechas de poentes...
Na meia-noite d'hoje, soluçando,
Que presságios sinistros e dolentes!...

Tenho medo da noite!... Padre nosso
Que estais no céu... O que minh'alma teme!
Tenho medo da noite!... Que alvoroço
Anda nesta alma enquanto o sino geme!

Jesus! Jesus, que noite imensa e triste!...
A quanta dor a nossa dor resiste
Em noite assim que a própria Dor parece...

Ó noite imensa, ó noite do Calvário,
Leva contigo envolto no sudário
Da tua dor a dor que me não 'squece!

Tragic Night

Dread and Anguish are waltzing...
A bell tolls laments of suns setting...
At midnight tonight, such sobbing,
What presages, mournful and alarming!...

I have a fear of the night... Our father
Who art in heaven... What fears in my soul!
I have a fear of the night...What a clamor
In this soul when I hear the bell toll!

Jesus! Jesus, what a huge sad night!...
How much pain must our pain fight
On a night that shouts pain out loud...

Oh huge night, Oh night of Calvary,
Take it with you wrapped in the shroud
Of *your* pain the pain that won't forget me.

Fernando Pessoa

Lisbon, 13 June 1888 – Lisbon, 30 November 1935

Fernando Pessoa is not only considered one of the greatest Portuguese writers ever, but also one of the world's greatest poets of the modern era. Though being born in Lisbon, he spent his early years in Durban, South Africa. Upon returning in 1905 he made his living as a commercial translator and a drafter of business letters. Meanwhile, he wrote extensively, mainly poetry, literary and philosophical essays, and fiction. Pessoa was a member of the Orpheu generation, who introduced the Modernist movement in the literature and the arts in Portugal. In 1914, he created his three most famous heteronyms, Alberto Caeiro, Ricardo Reis and Álvaro de Campos. Although each heteronym has his own life story, personality and literary works, they are altogether expressions of Pessoa's inner complexity. This game between unity and plurality, sifted through other dichotomies such as reason and emotion, truthfulness and pretence, euphoria and depression, urban and rural, and futuristic impulse and nostalgia, is what has made Pessoa so unique in the world of poetry.

M.D.

Ao entardecer, debruçado pela janela,
E sabendo de soslaio que há campos em frente,
Leio até me arderem os olhos
O Livro de Cesário Verde.

Que pena que tenho dele! Ele era um camponês
Que andava preso em liberdade pela cidade.
Mas o modo como olhava para as casas,
E o modo como reparava nas ruas,
E a maneira como dava pelas coisas,
É o de quem olha para árvores,
E de quem desce os olhos pela estrada por onde vai andando
E anda a reparar nas flores que há pelos campos...

Por isso ele tinha aquela grande tristeza
Que ele nunca disse bem que tinha,
Mas andava na cidade como quem anda no campo
E triste como esmagar flores em livros
E pôr plantas em jarros...

LEANING ON THE WINDOW AT DUSK,
and perceiving the fields outside from the corner of my sight,
I read until my eyes bleed
"The Book of Cesário Verde".

I feel so sorry for him! He was a simple countryman
who walked around the city as if lost in his own freedom.
But the way he looked at houses,
and the way he noticed the streets,
and the way he discovered things,
is the same way one looks at trees,
lowers one's eyes when walking along a road,
or acknowledges the flowers in the fields...

So he had that deep sadness
he never quite revealed he had,
but he walked in the city as if walking in the fields,
full of sorrow, as if pressing petals between the pages of a book
and putting flowers into jugs...

Sou um guardador de rebanhos.
O rebanho é os meus pensamentos
E os meus pensamentos são todos sensações.
Penso com os olhos e com os ouvidos
E com as mãos e os pés
E com o nariz e a boca.

Pensar uma flor é vê-la e cheirá-la
E comer um fruto é saber-lhe o sentido.

Por isso quando num dia de calor
Me sinto triste de gozá-lo tanto,
E me deito ao comprido na erva,
E fecho os olhos quentes,
Sinto todo o meu corpo deitado na realidade,
Sei a verdade e sou feliz.

I AM A KEEPER OF FLOCKS.
The flocks are my thoughts
and all my thoughts are sensations.
I think with my eyes and my ears,
and with my hands and my feet,
and with my nose and my mouth.

For to consider a flower is to both see it and smell it
and to eat of fruit is to understand its meaning.

So when the sun is at its warmest
and I feel guilty for embracing it,
and stretch out, supine, on the grassy earth,
and close my sun drenched eyes,
I view my entire body lying firmly on reality,
I know the truth, and am happy.

Tu, místico, vês uma significação em todas as coisas.
Para ti tudo tem um sentido velado.
Há uma coisa oculta em cada coisa que vês.
O que vês, vê-lo sempre para veres outra coisa.

Para mim, graças a ter olhos só para ver,
Eu vejo ausência de significação em todas as coisas;
Vejo-o e amo-me, porque ser uma coisa é não significar nada.
Ser uma coisa é não ser susceptível de interpretação.

You, mystic, see significance in all things.
Everything for you has a meaning, veiled.
There is something hidden in all that you see.
And what you see is always seen as something else.

As seeing is the only thing my eyes can do,
I see an absence of meaning in all things;
I see it and love myself, as to be a thing has no significance.
To be a thing is to not be open to interpretation.

Se quiserem que eu tenha um misticismo, está bem, tenho-o.
Sou místico, mas só com o corpo.
A minha alma é simples e não pensa.

O meu misticismo é não querer saber.
É viver e não pensar nisso.

Não sei o que é a Natureza: canto-a.
Vivo no cimo dum outeiro
Numa casa caiada e sozinha,
E essa é a minha definição.

If you want me to have mysticism, well I have it.
But I am mystical only in a corporeal manner.
My soul is simple and does not think.

My mysticism is wanting not to know.
It is just to live my life and not to wonder.

I have no knowledge of Mother Earth—though in awe.
I live high up on a hill,
in a secluded, whitewashed home,
and this, for me, is my life defined.

O MISTÉRIO DAS COISAS, ONDE ESTÁ ELE?
Onde está ele que não aparece
Pelo menos a mostrar-nos que é mistério?
Que sabe o rio e que sabe a árvore
E eu, que não sou mais do que eles, que sei disso?
Sempre que olho para as coisas e penso no que os homens pensam delas,
Rio como um regato que soa fresco numa pedra.

Porque o único sentido oculto das coisas
É elas não terem sentido oculto nenhum.
É mais estranho do que todas as estranhezas
E do que os sonhos de todos os poetas
E os pensamentos de todos os filósofos,
Que as coisas sejam realmente o que parecem ser
E não haja nada que compreender.

Sim, eis o que os meus sentidos aprenderam sozinhos: —
As coisas não têm significação: têm existência.
As coisas são o único sentido oculto das coisas.

THE MYSTERY OF THINGS, WHERE IS IT?
Where is it that it does not reveal itself
at least to show us that it is indeed a mystery?
What do the trees and rivers know,
and what can I know, I who am no more than they?
And when I consider what people think of them,
I begin to laugh like a fresh stream flowing over stones.

Because the only hidden meaning of things
is that they have no meaning to hide.
And stranger than all that is strange,
stranger than the dreams of all the poets,
and the thoughts of all the philosophers,
is the fact that things are just as they appear to be;
and that there is nothing left to understand.

And yes, here is what my senses have, by themselves, learnt—
things have no significance: they have existence.
Things are the only hidden meaning of things.

Pensar em Deus é desobedecer a Deus,
Porque Deus quis que o não conhecêssemos,
Por isso se nos não mostrou...

Sejamos simples e calmos,
Como os regatos e as árvores,
E Deus amar-nos-á fazendo de nós
Belos como as árvores e os regatos,
E dar-nos-á verdor na sua primavera,
E um rio aonde ir ter quando acabemos...

To think about God is to disobey God,
for God desired us not to know him
and thus he hid away from sight...

So let us be as simple and tranquil,
as the streams and trees,
and God will love us and will
make us as beautiful as trees and streams,
and will give us the greens in his springtime,
and a river to go to at the end of days...

Uns, com os olhos postos no passado,
Vêem o que não vêem; outros, fitos
Os mesmos olhos no futuro, vêem
        O que não pode ver-se.

Porque tão longe ir pôr o que está perto —
O dia real que vemos? No mesmo hausto
Em que vivemos, morreremos. Colhe
        O dia, porque és ele.

WITH ONE EYE ON THE PAST,
some see which they cannot see,
whilst others in the future see
        that which cannot be seen.

Why go so far for what is so near—
The actual day that we can see? In a single gasp
we live and die. So seize the day,
        for the day is what you are.

Sim, sei bem
Que nunca serei alguém.
        Sei de sobra
Que nunca terei uma obra.
        Sei, enfim,
Que nunca saberei de mim.
        Sim, mas agora,
Enquanto dura esta hora,
        Este luar, estes ramos,
Esta paz em que estamos,
        Deixem-me me crer
O que nunca poderei ser.

Yes, I know that
I'll forever be a nobody.
        I know so well that
a single work I shall not complete.
        I even know that
I'll never find myself.
        Yes, but now,
whilst this time lasts,
        this moonlight, these arms,
this peace that we feel,
        permit me to believe
that which I may never be.

PREFIRO ROSAS, MEU AMOR, À PÁTRIA,
E antes magnólias amo
Que a glória e a virtude.

Logo que a vida não me canse, deixo
Que a vida por mim passe
Logo que eu fique o mesmo.

Que importa àquele a quem já nada importa
Que um perca e outro vença,
Se a aurora raia sempre,

Se cada ano com a Primavera
Aparecem as folhas
E com o Outono cessam?

E o resto, as outras coisas que os humanos
Acrescentam à vida,
Que me aumentam na alma?

Nada, salvo o desejo de indiferença
E a confiança mole
Na hora fugitiva.

I PREFER ROSES, MY LOVE, TO MY HOMELAND,
and love magnolias
rather than glory and virtue.

Provided life does not weary,
I'll let life pass slowly by,
on the condition that I stay the same.

What does it matter to those, for whom nothing matters,
if one man loses and another man wins,
if the dawn forever rises,

and if in every year
leaves appear in spring,
and if in autumn fall?

As to the rest, the other things which we mortals
attach to our existence,
how do they reinforce the soul?

Nothing, aside a need for indifference
and a serene faith
in the inevitable passing of time.

Sofro, Lídia, do medo do destino.
Qualquer pequena coisa de onde pode
Brotar uma ordem nova em minha vida,
Lídia, me aterra.

Qualquer coisa, qual seja, que transforme
Meu plano curso de existência, embora
Para melhores coisas o transforme,
Por transformar

Odeio, e não o quero. Os deuses dessem
Que ininterrupta minha vida fosse
Uma planície sem relevos, indo
Até ao fim.

A glória embora eu nunca haurisse, ou nunca
Amor ou justa estima dessem-me outros,
Basta que a vida seja só a vida
E que eu a viva.

I SUFFER, LYDIA, FROM THE FEAR OF FATE.
And any small thing which may
set forth a new order in my life,
Lydia, terrifies me.

Anything which may alter
the course of my prearranged existence,
although to better things they may turn,
it brings change,

so I hate it and do not want it.
How good it would be if the gods gave me
a life unbroken, a barren plain, stretching out until
the very end of days.

Although to glory I have never aspired, nor given
love or been esteemed by others,
it is simply enough that life is what it is
and that I live it.

NADA FICA DE NADA. NADA SOMOS.
Um pouco ao sol e ao ar nos atrasamos
Da irrespirável treva que nos pese
        Da húmida terra imposta,
Cadáveres adiados que procriam.

Leis feitas, estátuas vistas, odes findas —
Tudo tem cova sua. Se nós, carnes
A que um íntimo sol dá sangue, temos
        Poente, porque não elas?
Somos contos contando contos, nada.

Nothing remains of nothing. We are nothing.
With a little sun and air, we hold back, delay
the stifling darkness that weighs heavy
        on the moistened land.
We are corpses deferred that procreate.

Laws created, statues viewed, odes concluded—
everything has its grave, and if we, who are given life
by an intimate sun, too must rest,
        why not everything else?
We are simply tales upon tales—we are nothing.

Autopsicografia

O poeta é um fingidor.
Finge tão completamente
Que chega a fingir que é dor
A dor que deveras sente.

E os que lêem o que escreve,
Na dor lida sentem bem,
Não as duas que ele teve,
Mas só a que eles não têm.

E assim nas calhas de roda
Gira, a entreter a razão,
Esse comboio de corda
Que se chama o coração.

Autopsychography

The poet is a feigner,
feigning so completely
that even the pain he feigns
is a pain he feels so deeply.

And those who read his pain,
in reading truly feel
not the two pains he had,
but the one they lack, unreal.

And thus on its tracks turning,
to inspire the mind and impart,
there's a clockwork locomotive of string
known simply as the heart.

Isto

Dizem que finjo ou minto
Tudo que escrevo. Não.
Eu simplesmente sinto
Com a imaginação.
Não uso o coração.

Tudo o que sonho ou passo,
O que me falha ou finda,
É como que um terraço
Sobre outra coisa ainda.
Essa coisa é que é linda.

Por isso escrevo em meio
Do que não está ao pé,
Livre do meu enleio,
Sério do que não é.
Sentir? Sinta quem lê!

This

It is said I pretend or lie about
all that I write. No.
I simply feel
with imagination.
Not with the heart.

All that I dream about or pass,
which fails me or just ends,
is simply skin deep.
Only that which is found beneath
is full of beauty.

For this, I write about things not close,
free of my own constraints,
serious about all that is not.
Oh to feel?
Feel the ones who read!

A CRIANÇA QUE FUI CHORA NA ESTRADA.
Deixei-a ali quando vim ser quem sou;
Mas hoje, vendo que o que sou é nada,
Quero ir buscar quem fui onde ficou.

Ah, como hei-de encontrá-lo? Quem errou
A vinda tem a regressão errada.
Já não sei de onde vim nem onde estou.
De o não saber, minha alma está parada.

Se ao menos atingir neste lugar
Um alto monte, de onde possa enfim
O que esqueci, olhando-o, relembrar,

Na ausência, ao menos, saberei de mim,
E, ao ver-me tal qual fui ao longe, achar
Em mim um pouco de quando era assim.

THE CHILD I ONCE WAS STILL WEEPS ON THE ROAD,
where he was left when I came to be who I am;
but today, realising that I'm nothing,
I want to take back the child I once was.

Ah! How shall I find him? For those who take
the wrong path face many false turnings.
I no longer know where I come from nor where I stand,
and in the not knowing my soul has ceased to move.

If only I were able to scale the peak of the mountain,
from where I could finally
see and relive all that I've forgotten,

though in absence, at least I would find a trace of myself,
and, by seeing from afar the boy I once was,
I would recover, once again, a slice of that past.

O Infante

Deus quer, o homem sonha, a obra nasce.
Deus quis que a terra fosse toda uma,
Que o mar unisse, já não separasse.
Sagrou-te, e foste desvendando a espuma.

E a orla branca foi de ilha em continente,
Clareou, correndo, até ao fim do mundo,
E viu-se a terra inteira, de repente,
Surgir, redonda, do azul profundo.

Quem te sagrou criou-te português.
Do mar e nós em ti nos deu sinal.
Cumpriu-se o Mar, e o Império se desfez.
Senhor, falta cumprir-se Portugal!

The Prince

God desires it, mankind dreams it, a work is born.
God desired the earth to be as one,
that the sea should unite, no longer separate,
and you he favoured to unveil the foam.

The whiteness edged all, from isle to continent,
flowing swiftly from pole to pole.
All of a sudden, the whole earth, uncovered,
emerged, round, from depths of blue.

He who blessed you made you Portuguese.
Of the sea and us through you He gave us a sign.
The Sea accomplished, the Empire dissolved.
Oh lord, Portugal awaits, still to be fulfilled!

Mar Português

Ó mar salgado, quanto do teu sal
São lágrimas de Portugal!
Por te cruzarmos, quantas mães choraram,
Quantos filhos em vão rezaram!
Quantas noivas ficaram por casar
Para que fosses nosso, ó mar!

Valeu a pena? Tudo vale a pena
Se a alma não é pequena.
Quem quer passar além do Bojador
Tem que passar além da dor.
Deus ao mar o perigo e o abismo deu,
Mas nele é que espelhou o céu.

Portuguese Sea

Oh salt laden sea, how much of your salt
belongs to the tears of Portugal!
By crossing your waters, how many mothers wept,
how many sons and daughters prayed in vain!
How many would be brides denied
for you to be ours, oh sea!

Was it all worth it—the price that was paid?
All is worth doing, if one is great of soul.
Beyond the Cape of Bojador, for those who dare to sail,
all pain must be renounced, all suffering cast off.
Perils and unfathomable depths to the sea God gave,
but His sky above is mirrored within.

Mestre, meu mestre querido!
Coração do meu corpo intelectual e inteiro!
Vida da origem da minha inspiração!
Mestre, que é feito de ti nesta forma de vida?

Não cuidaste se morrerias, se viverias, nem de ti nem de nada.
Alma abstracta e visual até aos ossos,
Atenção maravilhosa ao mundo exterior sempre múltiplo,
Refúgio das saudades de todos os deuses antigos,
Espírito humano da terra materna,
Flor acima do dilúvio da inteligência subjectiva...

Mestre, meu mestre!
Na angústia sensacionista de todos os dias sentidos,
Na mágoa quotidiana das matemáticas de ser,
Eu, escravo de tudo como um pó de todos os ventos,
Ergo as mãos para ti, que estás longe, tão longe de mim!

Meu mestre e meu guia!
A quem nenhuma coisa feriu, nem doeu, nem perturbou,
Seguro como um sol fazendo o seu dia involuntariamente,
Natural como um dia mostrando tudo,
Meu mestre, meu coração não aprendeu a tua serenidade.
Meu coração não aprendeu nada.
Meu coração não é nada,
Meu coração está perdido.

Mestre, só seria como tu se tivesse sido tu.
Que triste a grande hora alegre em que primeiro te ouvi!
Depois tudo é cansaço neste mundo subjectivado,

MASTER, MY DEAR MASTER!
Heart of my body, intellectual and whole!
The lifeblood of the fount of my inspiration!
Master, what are you doing in this form of life?

You cared not if you lived or died, for you or for anything else.
An abstract and visual soul to the very bones,
wonderfully attentive to an ever-multiplying exterior world,
a refuge for the veneration of all the ancient gods,
the human spirit of the maternal land,
a flower above the flood of subjective intelligence...

Master, my master!
In the sensationist anguish of everyday sensations,
in the daily heartache of the mathematics of being,
I, a slave to everything like the dust of all the winds,
I raise up my hands to you, you who are so far away from me!

My master, and my guide!
Who nothing has wounded, nor hurt, nor troubled,
safe as a sun unconsciously making its day,
natural as a day unveiling all,
my master, my heart has not learnt your serenity.
My heart has learned nothing.
My heart is nothing.
My heart is lost.

Master, I could only be like you if I had been you.
How sad that joyful hour when first I heard your voice!
Then, everything is weariness in this world turned subjective,

Tudo é esforço neste mundo onde se querem coisas,
Tudo é mentira neste mundo onde se pensam coisas,
Tudo é outra coisa neste mundo onde tudo se sente.
Depois, tenho sido como um mendigo deixado ao relento
Pela indiferença de toda a vila.
Depois, tenho sido como as ervas arrancadas,
Deixadas aos molhos em alinhamentos destruídos pelo vento.
Depois, tenho sido eu, sim eu, por minha desgraça,
E eu, por minha desgraça, não sou eu nem outro nem ninguém.
Depois, mas porque é que ensinaste a clareza da vista,
Se não me podias ensinar a ter a alma com que a ver clara?
Porque é que me chamaste para o alto dos montes
Se eu, criança das cidades do vale, não sabia respirar?
Porque é que me deste a tua alma se eu não sabia que fazer dela
Como quem está carregado de ouro num deserto,
Ou canta com voz divina entre ruínas?
Porque é que me acordaste para a sensação e a nova alma,
Se eu não saberei sentir, se a minha alma é de sempre a minha?

Prouvera ao Deus ignoto que eu ficasse sempre aquele
Poeta decadente, estupidamente pretensioso,
Que poderia ao menos vir a agradar,
E não surgisse em mim a pavorosa ciência de ver.
Para que me tornaste eu? Deixasses-me ser humano!

Feliz o homem marçano,
Que tem a sua tarefa quotidiana normal, tão leve ainda que pesada.
Que tem a sua vida usual,
Para quem o prazer é prazer e o recreio é recreio,

everything is an effort in this world where things are wanted,
everything is a lie in this world where things are thought,
everything is something else in this world where everything is felt.
And I've been like a beggar left out in the open
for the indifference of the entire village.
And I've been left like weeds plucked,
lined up in bunches, destroyed by the wind.
And I have been me, yes me, in all my misfortune,
and I, by my own misfortune, am neither me nor another nor anyone.
But why did you teach the clarity of sight,
if you could not teach me to have the soul with which to clearly see it?
Why did you call me to the top of the mountains?
If I, a child of the towns of the valleys, was unable to breathe?
Why did you give me your soul, if I had no notion of what to do with it
like someone carrying gold in a desert,
or someone who sings with a voice, so divine, amongst the ruins?
Why did you awaken me to the sensation and the new soul,
if I won't know how to feel, if my soul has always been mine?

The unknown God would be pleased if I forever remained that
decadent poet, stupidly pretentious,
who could at the very least managed to please,
and if I had not been gifted with the lamentable science of seeing.
Why have you made me so? You should have let me be human!

Happy, the apprentice clerk,
who has his everyday task, so light, yet so heavy.
Who has his usual mundane life,
for whom pleasure is pleasure, and rest is rest,

Que dorme sono,
Que come comida,
Que bebe bebida, e por isso tem alegria.

A calma que tinhas, deste-ma, e foi-me inquietação.
Libertaste-me, mas o destino humano é ser escravo.
Acordaste-me, mas o sentido de ser humano é dormir.

who sleeps sleeps,
who eats food,
who drinks drinks, and for that has joy.

The calm you had, you gave it to me, and in me it turned to restlessness.
You set me free, but the human destiny is to be a slave.
You awakened me, but the sense of being human is to sleep.

Lisbon Revisited
(1926)

Nada me prende a nada.
Quero cinquenta coisas ao mesmo tempo.
Anseio com uma angústia de fome de carne
O que não sei que seja —
Definidamente pelo indefinido...
Durmo irrequieto, e vivo num sonhar irrequieto
De quem dorme irrequieto, metade a sonhar.

Fecharam-me todas as portas abstractas e necessárias.
Correram cortinas de todas as hipóteses que eu poderia ver da rua.
Não há na travessa achada número de porta que me deram.

Acordei para a mesma vida para que tinha adormecido.
Até os meus exércitos sonhados sofreram derrota.
Até os meus sonhos se sentiram falsos ao serem sonhados.
Até a vida só desejada me farta — até essa vida...

Compreendo a intervalos desconexos;
Escrevo por lapsos de cansaço;
E um tédio que é até do tédio arroja-me à praia.

Não sei que destino ou futuro compete à minha angústia sem leme;
Não sei que ilhas do Sul impossível aguardam-me náufrago;
Ou que palmares de literatura me darão ao menos um verso.

Lisbon Revisited
(1926)

Nothing connects me to nothing.
I want fifty things all at the same time.
Anguished, as if in hunger for flesh,
I long for something though I know not what it is—
decidedly I am unsure...
I live turbulent in sleep and restless in dream,
sleeping fitfully, dreaming in halves.

All doors denied, both real and imagined.
All curtains drawn tight, all speculations hidden from the street.
I found the lane but not the door whose number I'd been given.

I woke up to the same life that I had slept into.
Even the armies of my dreams conceded defeat.
Even my dreams believed themselves to be what they were not.
Even the life desired wears me—even that life...

My understanding is inconstant, disconnected;
I write and rewrite through lapses of fatigue;
and my very boredom drags me off to the beach.

My anguish, a ship without rudder, leading to a destiny unknown;
I do not know which uncharted southern isles await my shipwreck;
nor what literary palms will deliver me at least a verse.

Não, não sei isto, nem outra coisa, nem coisa nenhuma...
E, no fundo do meu espírito, onde sonho o que sonhei,
Nos campos últimos da alma onde memoro sem causa
(E o passado é uma névoa natural de lágrimas falsas),
Nas estradas e atalhos das florestas longínquas
Onde supus o meu ser,
Fogem desmantelados, últimos restos
Da ilusão final,
Os meus exércitos sonhados, derrotados sem ter sido,
As minhas coortes por existir, esfaceladas em Deus.

Outra vez te revejo,
Cidade da minha infância pavorosamente perdida...
Cidade triste e alegre, outra vez sonho aqui...
Eu? Mas sou eu o mesmo que aqui vivi, e aqui voltei,
E aqui tornei a voltar, e a voltar,
E aqui de novo tornei a voltar?
Ou somos todos os Eu que estive aqui ou estiveram,
Uma série de contas-entes ligadas por um fio-memória,
Uma série de sonhos de mim de alguém de fora de mim?

Outra vez te revejo,
Com o coração mais longínquo, a alma menos minha.

Outra vez te revejo — Lisboa e Tejo e tudo —,
Transeunte inútil de ti e de mim,
Estrangeiro aqui como em toda a parte,
Casual na vida como na alma,
Fantasma a errar em salas de recordações,

No, neither this, nor that, nor anything else do I know...
And deep inside, where I dream the dreams that I've dreamt,
in the last fields of my soul where I remember without reason
(the past being simply a mist of false tears),
on the roads and paths crisscrossing the forests afar
where I supposed my own very being resided,
the armies of my dreams, defeated without ever having been,
my would-be followers, torn apart by God,
flee as if laid bare, the final remains
of the ultimate illusion.

Once more I see you,
city of my youth so tragically lost...
Oh sad but joyful city, once again in you I can dream...
I? But am I the same man who lived here, and here returned,
and to here kept on returning and returning,
and to here returned once again?
Or am I all of those I's who were here,
a series of beads, held together by a thread of memory,
a series of dreams, with me looking on?

Once more I see you,
with my heart at a distance, my soul much less so.

Once more I see you—Lisbon, my city, the Tagus and all—,
an inept passerby of both you and myself,
a stranger here as in everywhere else,
uncertain in life, erratic in soul,
a ghost wandering in the rooms of memories,

Ao ruído dos ratos e das tábuas que rangem
No castelo maldito de ter que viver...

Outra vez te revejo,
Sombra que passa através de sombras, e brilha
Um momento a uma luz fúnebre desconhecida,
E entra na noite como um rastro de barco se perde
Na água que deixa de se ouvir...

Outra vez te revejo,
Mas, ai, a mim não me revejo!
Partiu-se o espelho mágico em que me revia idêntico,
E em cada fragmento fatídico vejo só um bocado de mim —
Um bocado de ti e de mim!...

to the sounds of mice and the creaking of floorboards,
in this castle so damned, this life I must live...

Once more I see you,
a shadow traversing shadows, aglow for a moment
under a funereal light unknown,
stepping smoothly into the night, like the wake of a boat vanishing
as the sound of the water fades away...

Once more I see you,
but alas, myself, I do not!
The magical mirror in which my image reflected, cracked,
and in each fateful shard remains a fragment of me—
a fragment of you and me!...

Brief bibliography

Portuguese poetry translated into English

ALMEIDA, O.T., (1983). *The Sea Within: A Selection of Azorean Poems*. G. MONTEIRO (trans.). Providence, RI: Gávea-Brown.

BOTTO, A. (2010). *The Songs of António Botto*. F. PESSOA (trans.); J. BLACKMORE (ed.). Minneapolis, MN: University of Minnesota Press.

CAMÕES, L., (1973). *The Lusiads*. W.C. ATKINSON (trans.). Harmondsworth, Middlesex: Penguin Books.

___, (1990). *Epic & Lyric*. K. BOSLEY (trans.); L.C. TAYLOR (ed.). Manchester: Carcanet Press, in association with the Fundação Calouste Gulbenkian.

___, (1997). *The Lusiads*. L. WHITE (trans.). Oxford: Oxford University Press.

___, (2005). *Selected Sonnets*. W. BAER (trans.). Chicago, IL: University of Chicago Press.

___, (2008). *The Collected Lyric Poems of Luís de Camões*. L. WHITE (trans.). Princeton, NJ: Princeton University Press.

___, (2009). *Sonnets and Other Poems*. R. ZENITH (trans.). Dartmouth, MA: University of Massachusetts.

LONGLAND, J.R. (trans.), (1966). *Selections from Contemporary Portuguese Poetry: A Bilingual Selection*. New York: Harvey House.

MACEDO, H. and E.M. CASTRO (eds.), (1978). *Contemporary Portuguese Poetry: An Anthology in English*. Manchester: Carcanet New Press.

PESSOA, F., (1988). *Self-Analysis and Thirty Other Poems*. G. MONTEIRO (trans.) Lisbon: Fundação Calouste Gulbenkian.

___, (1998). *Fernando Pessoa & Co.: Selected Poems*. R. ZENITH (trans.). New York: Grove Press.

___, (2004). *Selected Poems*. D. BUTLER (trans.). Dublin: Dedalus.

___, (2006). *A Little Larger Than the Entire Universe: Selected Poems*. R. ZENITH (trans.). New York: Penguin Books.

___, (2007). *Message; Mensagem*. J. GRIFFIN (trans.). Exeter: Shearsman Books & Menard Press.

___, (2022). *Message*. A.A. LOURENÇO (sel., intro. and notes). M. EARL (trans.). Lisbon: Shantarin.

QUENTAL, A., (1973). *Sonnets and Poems of Anthero de Quental*. S. G. MORLEY, (trans.). Westport, CT: Greenwood Press.

QUINTAIS, L. (ed.), (2022). *Five Coimbra Poets.* M. EARL (trans.). Lisbon: Shantarin.

VERDE, C., (2011). *The Feeling of a Westerner*. R. ZENITH (trans.). Dartmouth, MA: University of Massachusetts.

ZENITH, R. (trans.), (1999). *Portuguese Poetry after Pessoa*. Lisbon: Contexto.

___, (ed.), (2015). *28 Portuguese Poets: A Bilingual Anthology*. A. LEVITIN (trans.). Dublin: Dedalus.

On Portuguese poetry and literature

EARLE, T. F., (1980). *Theme and Image in the Poetry of Sá de Miranda*. Oxford: Oxford University Press.

___, (1988). *The Muse Reborn: The Poetry of António Ferreira*. Oxford: Clarendon Press.

KOTOWICZ, Z., (2008). *Fernando Pessoa: Voices of a Nomadic Soul*. Exeter: Shearsman Books.

MACEDO, H. (ed.), (1992). *Studies in Portuguese Literature and History in honour of Luís de Sousa Rebelo*. London: Tamesis Books.

MONTEIRO, G. (ed.), (1982). *The Man Who Never Was: Essays on Fernando Pessoa*. Providence, RI: Gávea-Brown.

___, (1996). *The Presence of Camões: Influences on the Literature of England, America, and Southern Africa*. Lexington, KY: University Press of Kentucky.

___, (1998). *The Presence of Pessoa: English, American, and Southern African Literary Responses*. Lexington, KY: University Press of Kentucky.

___, (2000). *Fernando Pessoa and Nineteenth-Century Anglo-American Literature*. Lexington, KY: University Press of Kentucky.

PARKINSON, S., C. PAZOS-ALONSO and T.F. EARLE (eds.), (2009). *A Companion to Portuguese Literature*. Woodbridge: Tamesis.

SADLIER, D.J., (1998). *An Introduction to Fernando Pessoa: Modernism and the Paradoxes of Authorship*. Gainesville: University Press of Florida.

TAMEN, M. and H.C. BUESCU (eds.), (1999). *A Revisionary History of Portuguese Literature*. New York: Garland Pub.

VIEIRA, N.H. (ed.), (1983). *Roads to Today's Portugal: Essays on Contemporary Portuguese Literature, Art and Culture*. Providence, RI: Gávea-Brown.

ZENITH, R., (2021). *Pessoa: A Biography*. New York: Liveright / W.W. Norton.